満足！ 簡単！
100円丼

誰でも作れる幸せレシピ

時短・
カンタン・
コンビニ
活用法

JN077558

もくじ

コンビニ惣菜がどんぶりに変身

たれ・もと活用で絶対失敗しない味付け

最初に混ぜておく簡単調味料を作ってみよう

テンション上がる卵系どんぶり

揚げ物にも挑戦してみよう

手順もシンプル、フライパンで簡単調理

低カロリー高たんぱくのヘルシーどんぶり

各国各地の料理をどんぶりにしてみよう

保存食品を活用していつでもどんぶり

にんにくを使ってスタミナアップ

箸休めに簡単小皿料理

本書のルール

・本書では基本的に、1人分の材料の値段が100円前後で作れる丼を紹介しています。
・丼レシピには1人分の値段の目安が表示されています。
・各レシピにおいて、ご飯および適量と表示された食材は値段に含まれていません。
・本書に表示した価格は2019年11～2020年1月現在の編集部調べです。主に東京近郊のスーパーマーケットやネットスーパーの特売品を参考にしています。

※丼のご飯は250～300g使用していますが、好みで調整してください。
※計量の単位は、1カップ=200㎖、大さじ1=15㎖、小さじ1=5㎖です。
※材料で表記した個数・本数、材料・調味料の分量は、あくまで目安です。好みやその日の空腹度で調整してください。
※魚介類や野菜の下処理は省略しているものもありますので必要に応じて下処理をしてください。
※本書では電子レンジは600W、オーブントースターは1200Wを基準にしています。機種によって加熱時間に差があるので、表示時間を目安に様子を見ながら加熱してください。

コンビニ惣菜が
どんぶりに
変身

甘めの黒酢でご飯がススム

黒酢のとりから丼

【材料】（1人分）

鶏のから揚げ…3個
ピーマン…1個
たまねぎ…1/6個
しいたけ…1個
にんじん…2センチ
A｜黒酢・醤油・酒…各大さじ1
　｜砂糖…大さじ2
油…大さじ1/2
中華だし…少々
かたくり粉…大さじ1/2
水…大さじ3
ねぎ…適量

【作り方】

1. 鶏のから揚げはオーブントースターで温めて半分にしておく。
2. フライパンに油を熱し、ざく切りにした野菜を炒め、中華だしを加えて混ぜる。
3. Aをあわせて電子レンジで加熱し、①といっしょに②に加える。
4. かたくり粉を水で溶き、③に加えてとろみをつける。
5. ご飯を器によそい、④を盛り付け、みじん切りにしたねぎをちらして完成。

ONE POINT 甘さが苦手な人は砂糖の分量を減らしてください。

TOTAL PRICE ¥153

栄養たっぷり！

ひじき入りふわたま丼

【材料】（1人分）

卵…2個
ひじき煮…大さじ1
ごま油…大さじ
ピーマン…1/2個

【作り方】

❶ 卵を溶き、ひじき煮を入れて混ぜる。

❷ フライパンにごま油を熱し、①を手早く混ぜながら加熱する。

❸ ご飯を器によそって③を盛り付け、細切りにしたピーマンをちらしたら完成。

ONE POINT ひじきは缶詰を利用し、ひじき大さじ1に対し、[酒小さじ1、砂糖大さじ1/2、塩小さじ1] で味付けしてもOK。

TOTAL PRICE ¥57

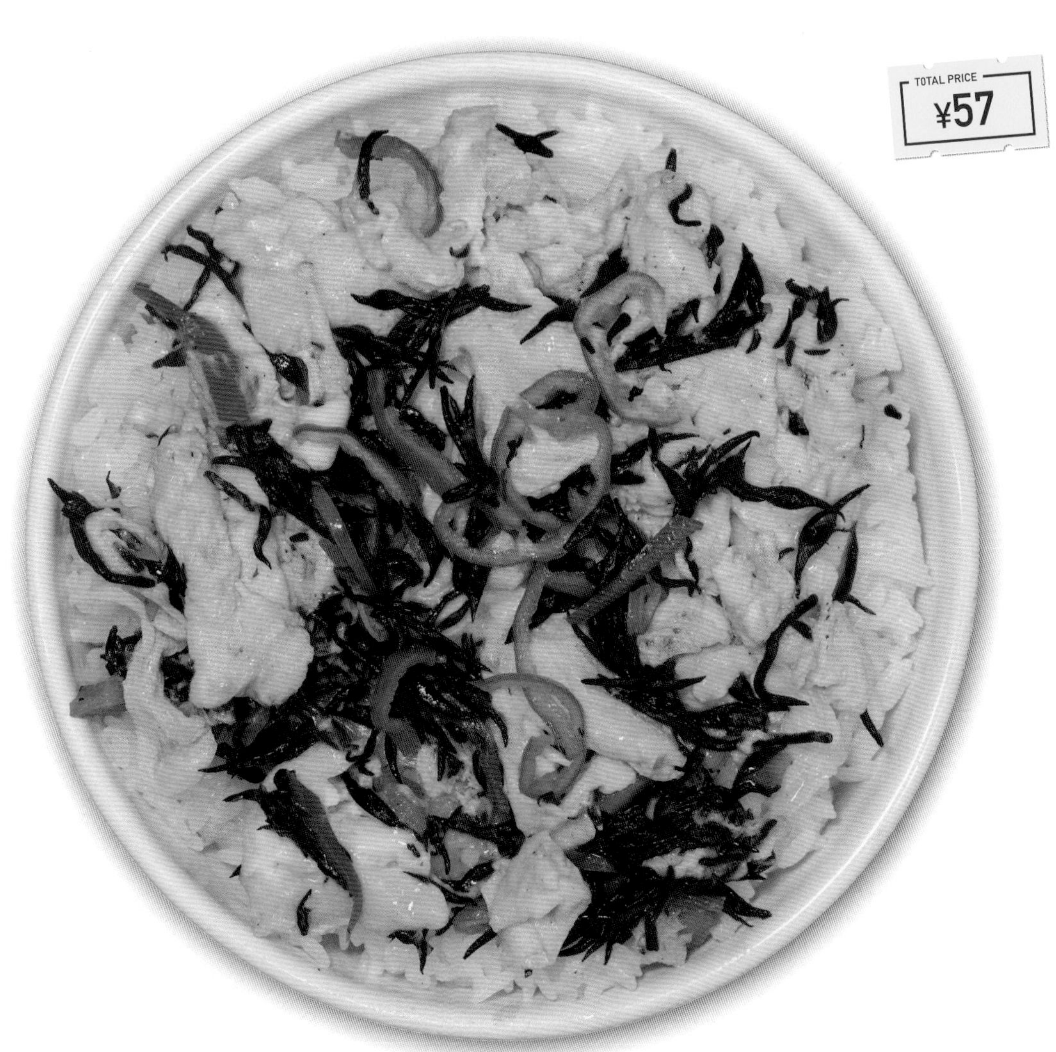

お惣菜の残りも使える

きんぴらごぼう丼

【材料】（１人分）

ごぼう…1/3本
にんじん…少々
厚揚げ…1/2枚
油…大さじ１
A
- 酒…大さじ１
- みりん…大さじ１
- しょうゆ…大さじ1/2
- 砂糖…大さじ1/2

えだまめ…少々

【作り方】

❶（スライサーを使って）ごぼうとにんじんを細切りにして、ごぼうは水にさらしておく。

❷ 厚揚げは一口サイズに切る。

❸ フライパンに油を熱し、①、②とAを入れて炒め煮にする。

❹ ご飯を器によそって③を盛り付け、えだまめをのせたら完成。

ONE POINT お惣菜のきんぴらごぼうを購入して利用すればもっと簡単！　厚揚げを加えて炒めなおすだけ。

TOTAL PRICE ¥77

から揚げもソースひとつで大変身

から揚げのオーロラソース丼

【材料】（1人分）

から揚げ…4個
豆苗…1/2束

A
- マヨネーズ…大さじ2
- ケチャップ…大さじ1
- レモン汁…少々
- 砂糖…小さじ1
- おろしにんにく…少々
- 塩…少々(塩茹で用)

【作り方】

1. から揚げはトースターで温めておく。
2. Aをよく混ぜておき、から揚げと和える。
3. 豆苗は塩ゆでしてざく切りにする。
4. ご飯を器によそい、豆苗をのせ、その上にから揚げを盛り付けて完成。好みで七味とうがらしをかける。

ONE POINT レモン汁の代わりに酢を利用してもOK。唐揚げは自分で作ると50円くらいでできます。

TOTAL PRICE ¥162

残り物やコンビニ惣菜で

コロッケの甘辛丼

【材料】（1人分）

コロッケ…1個
たまねぎ…1/4個
卵…1個
青ねぎ…適量
A｜すき焼きのたれ…大さじ2
　｜水…大さじ3

【作り方】

❶ コロッケを一口サイズに切る。

❷ Aをなべに入れ、スライスしたたまねぎとコロッケを煮る。

❸ たまねぎに火が通ったら、溶き卵を入れてひとまぜし、火を止めてふたをし、1分ほどおく。

❹ ご飯を器によそい、③を盛り付け、青ねぎをちらしたら完成。好みで七味とうがらしを。

ONE POINT 揚げ物を残してしまったら、この方法で活用を。

TOTAL PRICE
¥106

のせるだけでごちそう

コロッケ目玉焼き丼

【材料】（１人分）

コロッケ…1個
卵…1個
キャベツ…1枚分
ミニトマト…1個
油…小さじ1
ソース…適量
マヨネーズ…適量

【作り方】

1. コロッケはトースターで温めておく。
2. フライパンに油を熱し、目玉焼きを作る。
3. 器によそったご飯の上に千切りにしたキャベツを広げ、コロッケと目玉焼き、ミニトマトをのせ、ソースとマヨネーズをかけたら完成。

ONE POINT コロッケは電子レンジで温めてから、トースターで焼きなおすと、おいしさがよみがえります。

TOTAL PRICE ¥108

市販を使えば簡単

もつのスタミナ焼き丼

【材料】（1人分）

味付けもつ…1/3パック
もやし…1/4袋
野菜…適量
（にんじん、たまねぎ、にんにくの芽など）
油…小さじ1
コチュジャン…少々
塩・コショウ…適量
大葉…2枚

【作り方】

1. フライパンに油を熱し、味付けもつともやし、適当な大きさに切った野菜とコチュジャンを入れて炒める。好みに合わせて塩・コショウで味を調える。
2. ご飯を器によそって大葉を敷き、その上に①を盛り付けたら完成。

ONE POINT もつの味付け(味噌味)を活かして、野菜を合わせると、栄養のバランスが良くなります。

たれ・もと活用で絶対失敗しない味付け

火を使わない究極の簡単どんぶり

ツナタルタル丼

【材料】（1人分）

市販のタルタルソース…大さじ3
ツナ缶…1/2缶
レタス…1枚
ミニトマト…1個

【作り方】

❶ タルタルソースとツナを混ぜておく（ツナの油は使用してもよい）。

❷ ご飯を器によそい、その上に刻んだレタスを敷く。

❸ ②に①を盛り付け、ミニトマトを飾ったら完成。

ONE POINT タルタルソースは作りおき可能な便利なソースです。［ゆで卵1個、ピクルス1個、らっきょう1個を細かく刻み、マヨネーズ大さじ2、砂糖小さじ1、レモン汁少々・塩・コショウで調味］

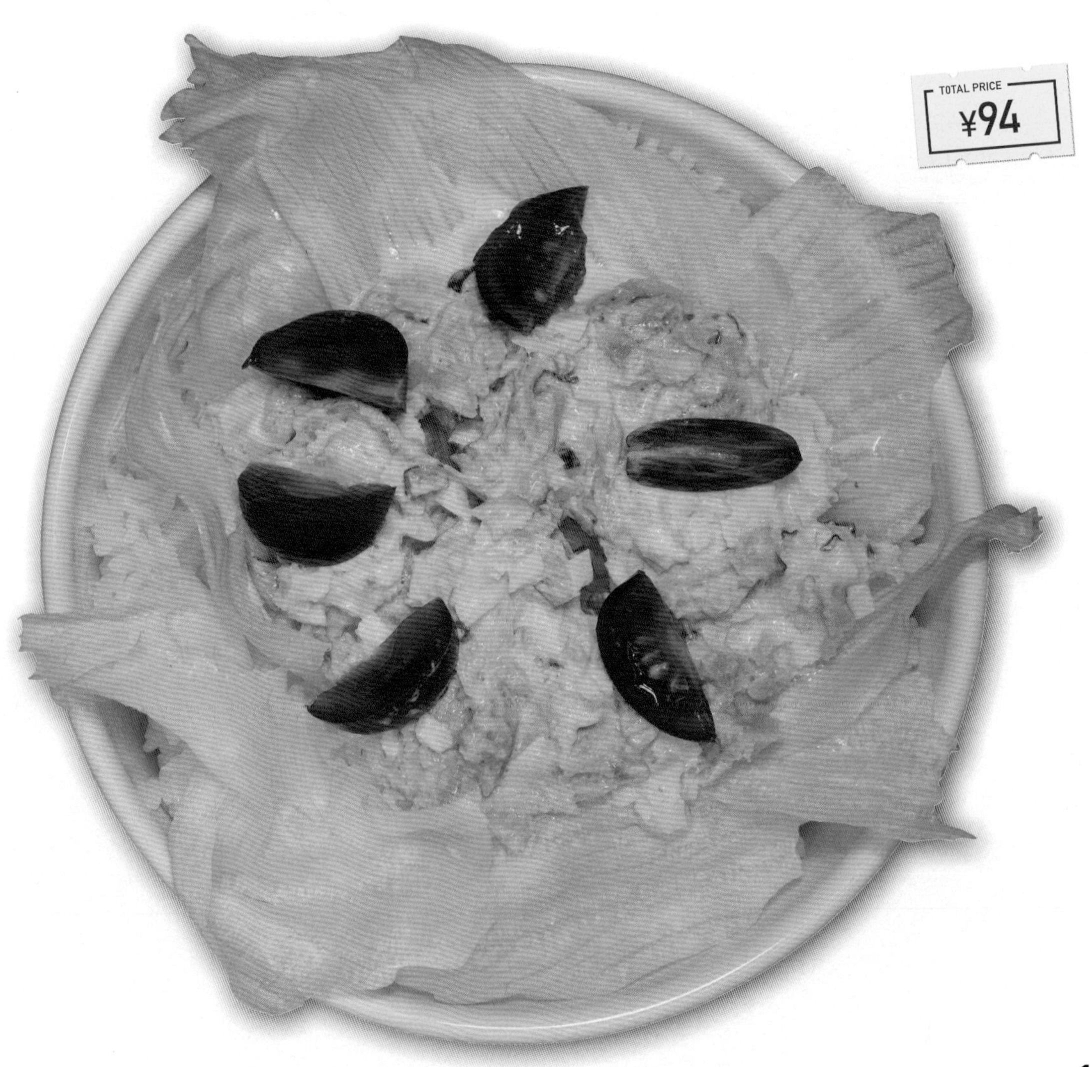

とろろの味付けは簡単！

豚バラのせとろろ汁風丼

【材料】（1人分）

長いも…80g
卵…1個
豚バラ肉…2枚
もみのり…少々
白髪ねぎ…少々
めんつゆ…小さじ1
油…少々
塩・コショウ…少々

【作り方】

❶ すりおろした長いも、卵、めんつゆをよく混ぜる。

❷ 豚バラ肉に塩・コショウをし、フライパンに油を熱して両面をカリッと焼く。

❸ 器によそったご飯に①をかけ、②を盛り付け、もみのりと白髪ねぎをちらせば完成。

ONE POINT 白米もいいですが、麦ごはんにはもっとあいます。お好みでしょうゆ、塩、ラー油などで味付けしてください。

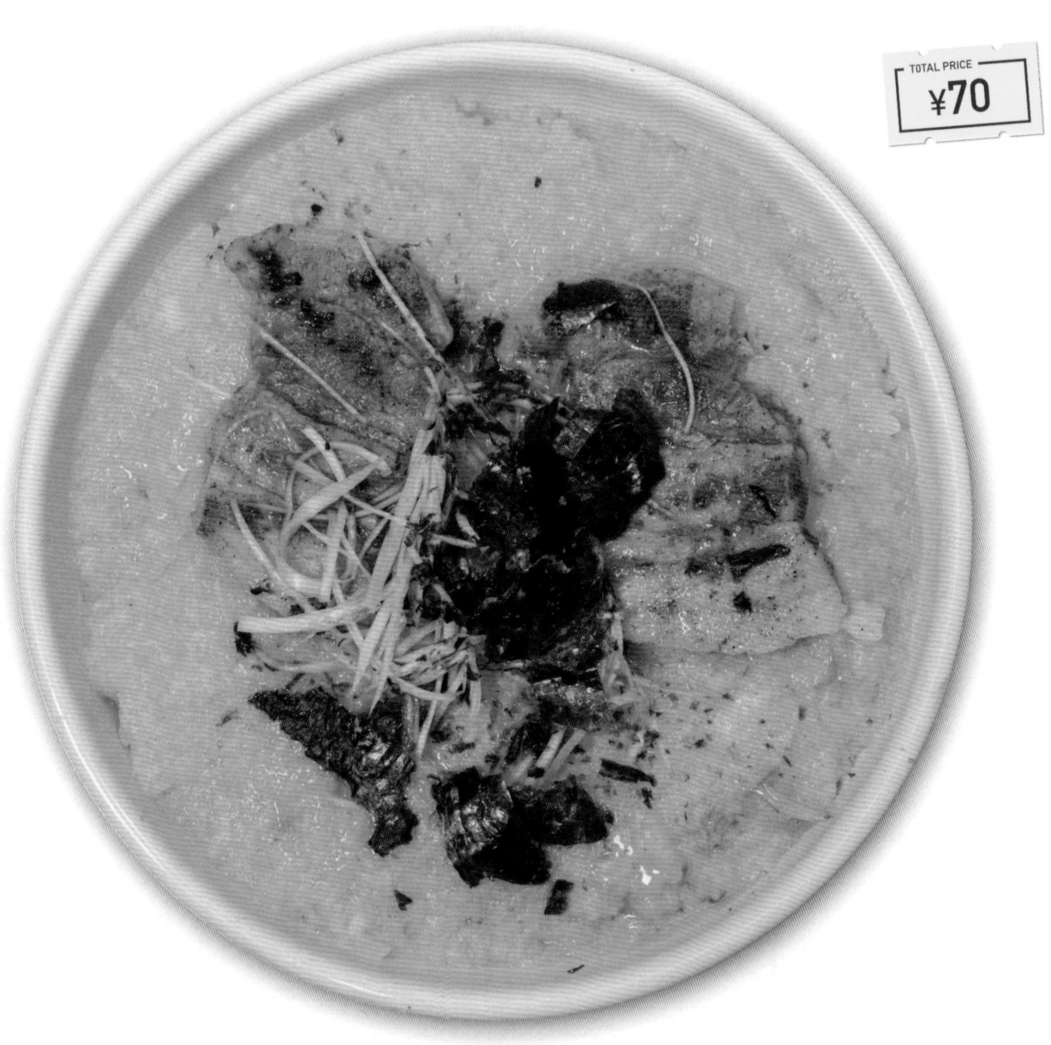

元気が出る！
彩りも最高のスタミナ丼

【材料】（1人分）

豚小間肉…60g
にら…4本
たまねぎ…1/8個
にんじん…1//4本
ごま油…小さじ1
焼き肉のたれ…大さじ1
ごま…少々

【作り方】

❶ 豚小間肉を焼き肉のたれに10分程度漬け込んでおく。

❷ にら、たまねぎ、にんじんは食べやすい大きさに切る。

❸ フライパンにごま油を熱し、①と②を炒める。

❹ ご飯を器によそい、③を盛り付け、ごまをふって完成。好みで七味とうがらしを。

ONE POINT 豚小間肉を漬け込む際、ビニール袋に材料を入れて手でもむと短時間で味がなじみます。

TOTAL PRICE ¥74

ごまのコク!

豚しゃぶごまだれ丼

【材料】(1人分)

豚しゃぶ肉…60g
きゅうり、なす…各1/2本
ごまだれ…大さじ3
白髪ねぎ…少々

【作り方】

1. 豚しゃぶ肉はさっとゆがいておく。
2. きゅうりは薄切りに。なすも薄切りにして電子レンジで加熱する。
3. ご飯を器によそい、①と②を盛り付け、ごまだれをかけ、白髪ねぎをちらしたら完成。

ONE POINT 市販のごまだれ利用で簡単に調理できますが、自家製も簡単。[すりごま、しょうゆ、砂糖、酒、マヨネーズ、酢を小さじ1ずつ混ぜるだけ]

TOTAL PRICE ¥106

ちょっと贅沢に！

野菜と一緒に豚バラ焼き肉丼

【材料】（1人分）

豚バラ肉…60g
水菜…適量
酒…大さじ1
おろしにんにく…小さじ1
油…小さじ1
焼き肉のたれ…大さじ1
ごま…少々
白髪ねぎ…少々
コチュジャン…適宜
塩・コショウ…適量

【作り方】

❶ 豚バラ肉を食べやすい大きさに切り、塩・コショウをふる。

❷ 酒とおろしにんにくと①をビニール袋に入れ、30分ほど漬ける。

❸ フライパンに油を熱し、②の豚バラ肉を炒め、焼き肉のたれで味付けする。

❹ ご飯を器によそい、4センチ程度に切った水菜をちらし、その上に③を盛り付ける。ごまと白髪ねぎをちらし、コチュジャンを添えて完成。

ONE POINT 水菜の量は好みで調節してください。

TOTAL PRICE
¥103

とろける具にビックリ！

麩のすき焼き丼

【材料】（1人分）

麩…小5個
ねぎ…1/2本
しゅんぎく…1株
はくさい…2枚
しらたき…1/2袋
卵…1個
すき焼きのたれ…大さじ2
水…大さじ3

【作り方】

1. 麩は水で戻し水気を切っておく。ねぎは斜め切り、しゅんぎく、はくさい、しらたきは食べやすい大きさに切る。
2. ①とすき焼きのたれと水をなべに入れて煮る。
3. ご飯を器によそい、②を盛り付け、卵をおとせば完成。

ONE POINT　お肉の代わりに麩を使えば、栄養価も大！

TOTAL PRICE ¥120

目先を変えて

甘辛おいなりのきつね丼

【材料】（1人分）

味付けいなり…1枚
きゅうり…1/3本
紅しょうが…大さじ1
すしのこ…大さじ1
わさび…適量
ごま…適量

【作り方】

❶ 温かいご飯にすしのこを混ぜて酢飯を作る。

❷ 紅しょうがを刻み、①に混ぜる。

❸ 味付けいなりときゅうりを細切りにする。

❹ ②の酢飯を器によそい、③を盛り付け、わさびを添え、ごまをふりかけたら完成。

ONE POINT 「すしのこ」は市販の酢飯のもと。混ぜるときは、あつあつのご飯を使うと上手に作れます。

TOTAL PRICE ¥51

最初に混ぜておく簡単調味料を作ってみよう

こっくりした味

なすとひき肉の甘みそ炒め丼

【材料】（１人分）

ひき肉…50g
長なす(大)…1個

A
- みそ…大さじ2
- 砂糖…大さじ1
- 酒…大さじ1
- みりん…大さじ1
- しょうゆ…小さじ1
- 水…150cc

油…大さじ1
しょうが…少々

【作り方】

❶ フライパンに油を熱し、輪切りにしたなすとひき肉を炒める。

❷ Aを加えて炒め煮にする。

❸ ご飯を器によそい、②を盛り付け、千切りにしたしょうがを添えれば完成。

ONE POINT なすは切った後に水につけると変色を防げます。

TOTAL PRICE
¥95

ご飯が進む、甘めのみそごま味！

豚ごぼう丼

【材料】（1人分）

ごぼう…1/3本
豚バラ肉…60g
油…大さじ1
A
- すりごま…大さじ1
- みそ…大さじ1
- 砂糖…大さじ1
- 酒…大さじ1
- みりん…大さじ1

梅干し…1個

【作り方】

1. ごぼうをささがきにして、水にさらしてアクをとる。豚バラ肉は食べやすい大きさに切る。
2. Aを混ぜておく。
3. フライパンに油を熱し、水をよくきったごぼうと豚肉を炒め、火が通ったらAを加えてよく混ぜる。
4. ご飯を器によそって、③を盛り付け、梅干しをのせたら完成。

ONE POINT 梅干しは種を取り除き、ペースト状につぶしておくと使いやすいですよ。

TOTAL PRICE ¥85

簡単チキン南蛮！

鶏むね肉の南蛮漬け丼

【材料】（1人分）

鶏むね肉…100g

A
- 中華スープの素…小さじ1
- 酒…大さじ1
- 塩・コショウ…少々

B
- しょうゆ・砂糖・酢…各大さじ1
- たかのつめ…1本

かたくり粉（または小麦粉）…少々
卵…1個
レタス…1枚
油…適量
タルタルソース…大さじ3（作り方はP14または市販のもの）
青ねぎ…少々

【作り方】

❶ 鶏むね肉は食べやすい大きさに切り、Aと一緒にビニール袋に入れて30分漬けておく。

❷ ①の鶏むね肉を取り出して水気を切り、かたくり粉をまぶして、溶き卵にくぐらせ油で揚げる。揚げた後は、Bの南蛮マリネ液に漬ける。

❸ 器によそったご飯の上に、千切りにしたレタスを広げ、②を盛り付ける。

❹ タルタルソースをかけ、青ねぎをちらせば完成。

ONE POINT 鶏肉は均一の厚さに切り分けると火が通りやすくなります。

TOTAL PRICE ¥124

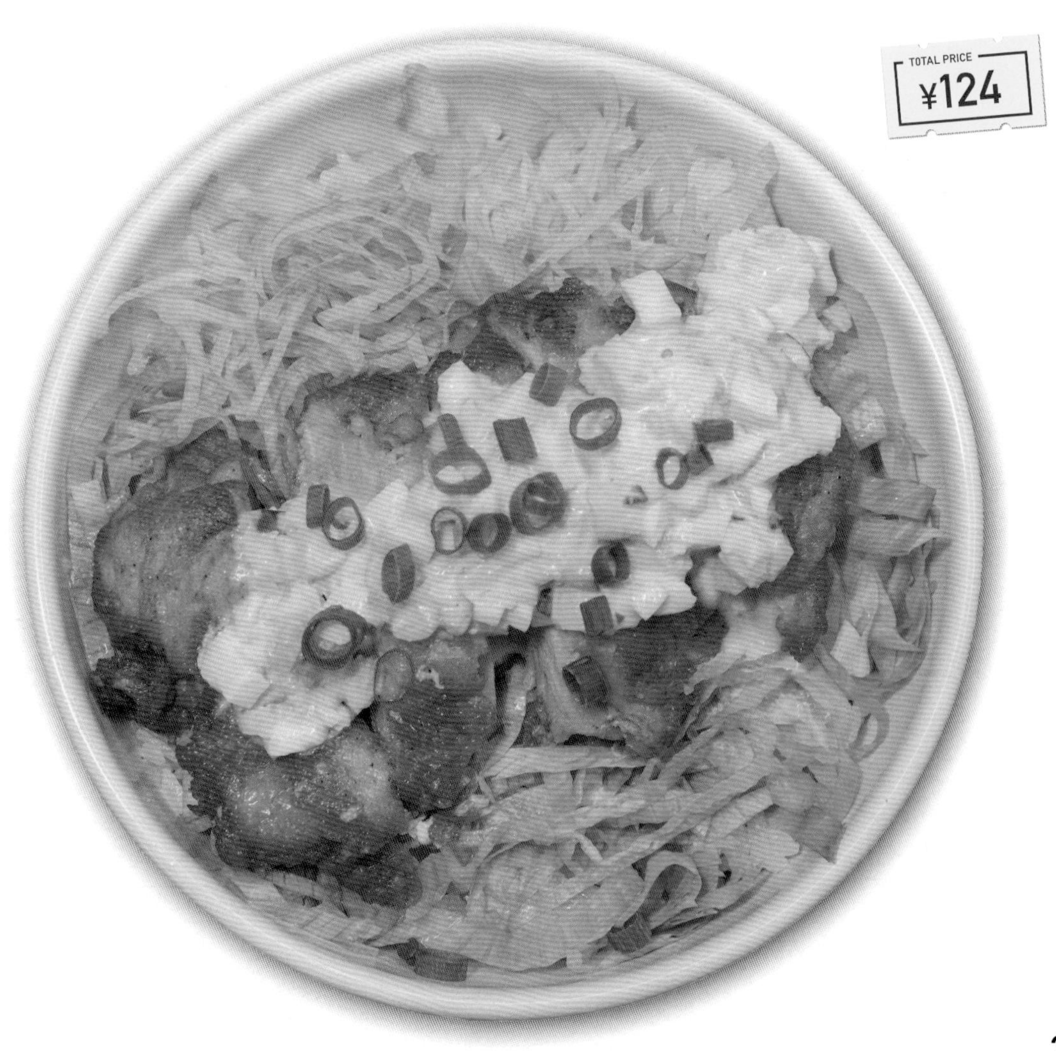

やみつきになるタレ

とりなすのうまダレ丼

【材料】（1人分）

鶏むね肉…100g
なす…1/2本
酒…大さじ1
塩…小さじ1
油…大さじ2

A
- 酢…大さじ
- 砂糖・ごま油・しょうゆ…各小さじ1
- すりごま…小さじ2
- 白ごま…適量
- おろしにんにく…小さじ1/2
- おろししょうが…小さじ1/2
- 塩…少々

ねぎ…少々　大葉…1枚

【作り方】

1. 鶏むね肉は薄切りにして、酒と塩をまぶして30分ほどおいてからゆでる。
2. なすは一口サイズに切り、揚げ焼きにする。
3. Aを合わせておく。
4. ご飯を器によそい、①と②を盛り付け、③のたれをかけ、みじん切りのねぎと細切りの大葉を添えたら完成。

ONE POINT　鶏むね肉は淡白なので、下味を付け、濃いめの味付けが良いでしょう。

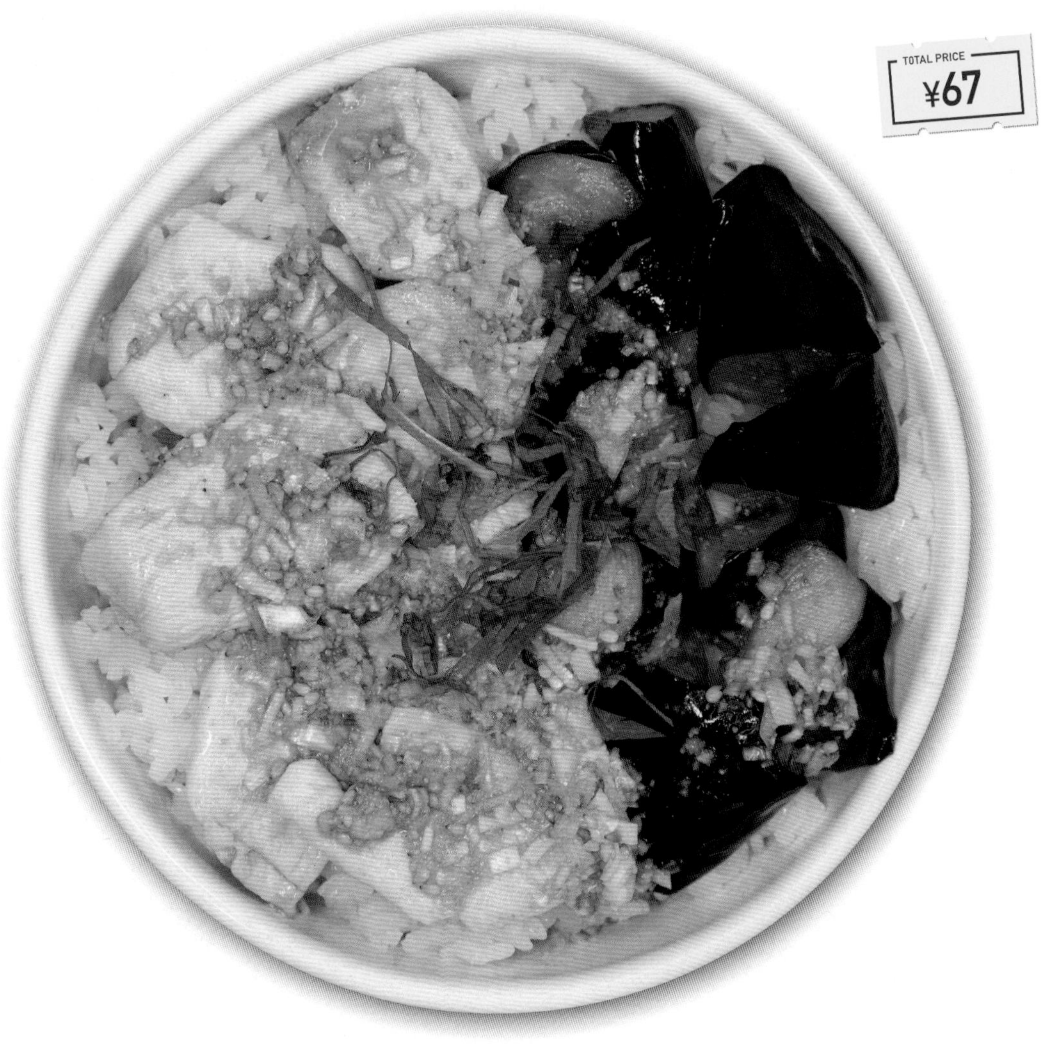

野菜がたっぷり

満足感100％の中華丼

【材料】（１人分）

野菜…適量
（はくさい、しめじ、ねぎ、にんじん、たまねぎなど）
エビ…3尾
A
かたくり粉…大さじ1
酒…大さじ1
中華スープの素…小さじ1
水…200cc
カニカマ…1本
ごま油…大さじ1

【作り方】

❶ 野菜をすべてざく切りにする。

❷ フライパンにごま油を熱し、①とエビを炒める。

❸ Aを混ぜあわせ、②に加えてとろみが出るまで弱火で加熱する。

❹ ご飯を器によそい、③を盛り付け、ほぐしたカニカマを添えたら完成。

ONE POINT 中華スープで味付けしていますが、塩加減は塩・コショウで調節してください。

TOTAL PRICE ¥96

テンション上がる
卵系どんぶり

懐かしい味

ちくわとじゃがいもの卵とじ丼

【材料】（1人分）

じゃがいも…小1個
たまねぎ…1/4個
ちくわ…1本
A
しょうゆ…大さじ1
砂糖…大さじ1
酒…大さじ1
みりん…大さじ1
水…50cc
卵…1個
油…大さじ1
もみのり…少々

【作り方】

❶ じゃがいもとちくわは短冊切りに、たまねぎはスライスしておく。

❷ フライパンに油を熱し、①を加えて炒める。

❸ じゃがいもがやわらかくなったらAを加えて炒め煮する。

❹ 溶いた卵を加え、蓋をし、火を止める。

❺ ご飯を器によそい、④を盛り付け、もみのりをかけたら完成。

ONE POINT 卵とじのコツは、高温の状態で溶き卵を入れ、すぐにふたをして火を止めること。これでとろとろの卵とじに。

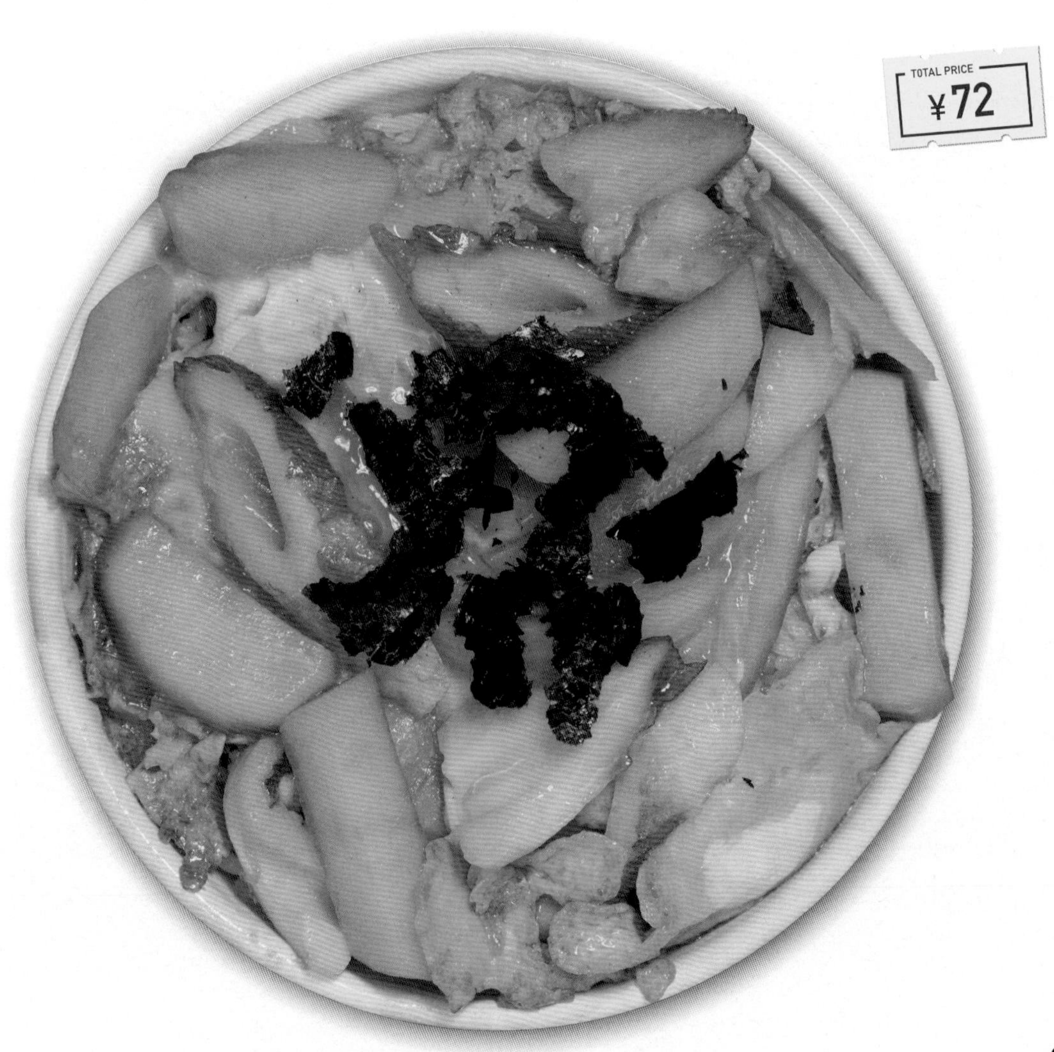

TOTAL PRICE ¥72

テンション上がる卵系どんぶり

きのこ好きには嬉しい味！

香ばしい、豚きのこの和風丼

【材料】（1人分）

薄切り豚肉…60g
きのこ…適量

A	しょうゆ…大さじ1 砂糖…小さじ1 酒…小さじ1 みりん…小さじ1

卵の黄身…1個分
ごま油…大さじ1
青ねぎ…適量

【作り方】

❶ フライパンにごま油を熱し、一口サイズにした豚肉ときのこを炒め、Aを合わせて香ばしく焼く。

❷ ご飯を器によそい、①を盛り付け、真ん中に黄身を落とし、青ねぎをちらしたら完成。

ONE POINT 黄身だけ使って、白身が残ったら、みそ汁やスープに入れて活用してください。

TOTAL PRICE ¥110

ふわっふわ！

麩のたまご丼

【材料】（1人分）

麩…小10個　たまねぎ…1/4個　三つ葉…適量
すき焼きのたれ…大さじ2　水…大さじ3
卵…1個　油…小さじ

【作り方】

❶ フライパンに油を熱し、薄くスライスしたたまねぎ、麩、すき焼きのたれと水を一緒に炒め煮する。

❷ 煮たったところで溶き卵を入れてひとまぜし、ふたをして火を止める。

❸ ご飯を器によそい、②を盛り付け、ざっくり刻んだ三つ葉をかざれば完成。

ONE POINT　麩は水で戻してから水気を切って使うと、より使いやすいです。
すき焼きのたれの作り方はP79参照。

意外な組み合わせ！

しらすのせふんわりねぎ玉丼

【材料】（1人分）

卵…2個
しらす…大さじ1
油…大さじ1

A
- 砂糖…大さじ1
- 酒…小さじ1
- 塩…少々
- 青ねぎ…大さじ1
- だしの素…少々

【作り方】

❶ 溶いた卵とAを合わせて卵液を作る。

❷ フライパンで油を熱し、①を流し入れてかき混ぜながら卵焼きを作る。

❸ ご飯を器によそい、②を盛り付け、しらすをかけたら完成。

ONE POINT　甘めの卵焼きが好きな人は砂糖で調整を。

手はかかるけど満足の一品

三色そぼろ丼

【材料】（1人分）

ひき肉…50g
卵…1個
ほうれん草…1株
油…小さじ1

A
- 砂糖…大さじ1
- しょうゆ・酒…各小さじ1
- おろししょうが…小さじ1
- 水…大さじ1

B
- 砂糖・みりん…各小さじ1
- 酒…小さじ1
- 塩…少々

ごま・ごま油・塩…各少々
紅しょうが…適量

【作り方】

❶ フライパンに油を熱し、ひき肉とAを入れて炒める。

❷ 卵とBをよく混ぜ、耐熱容器に入れてラップをせずに電子レンジで加熱する。途中一度かき混ぜ、再度炒り卵状になるまで加熱する。

❸ ほうれん草は、食べやすい大きさに切って塩ゆでし、水を切ってごま、ごま油、塩であえる。

❹ ご飯を器によそい、①、②、③をきれいに盛り付け、紅しょうがを添えれば完成。

ONE POINT 電子レンジの活用で、時短簡単。ほうれん草もゆでずに電子レンジでの加熱でもOK。

TOTAL PRICE ¥85

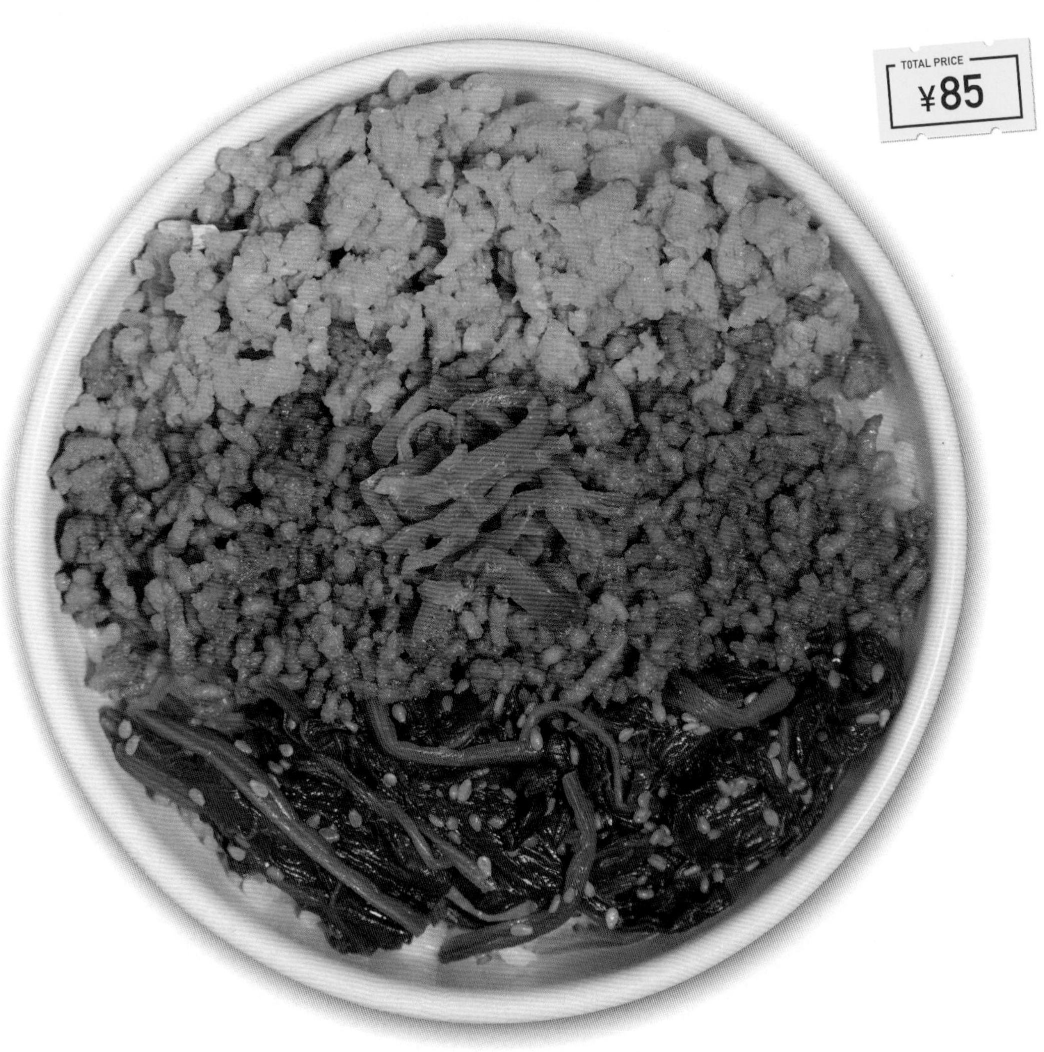

クリームチーズで洋風に

ふわふわオムレツ丼

【材料】（1人分）

卵…2個
クリームチーズ…大さじ1
ミニトマト…2個

A
- 牛乳…大さじ1
- 砂糖…小さじ1
- 塩・コショウ…少々

油…大さじ1
ケチャップ…適量
パセリ…適量

【作り方】

1. 溶いた卵にAを混ぜ、油を熱したフライパンに流し入れる。
2. ある程度固まったら、クリームチーズとトマトを入れ、オムレツの形をととのえる。
3. ご飯を器によそい、②を盛り付け、ケチャップをかけてみじん切りのパセリをふりかけたら完成。

ONE POINT クリームチーズは溶けやすいので、手早く調理しましょう。今はやりのマスカルポーネ・チーズを使ったらさらにおしゃれな一品に。

TOTAL PRICE ¥77

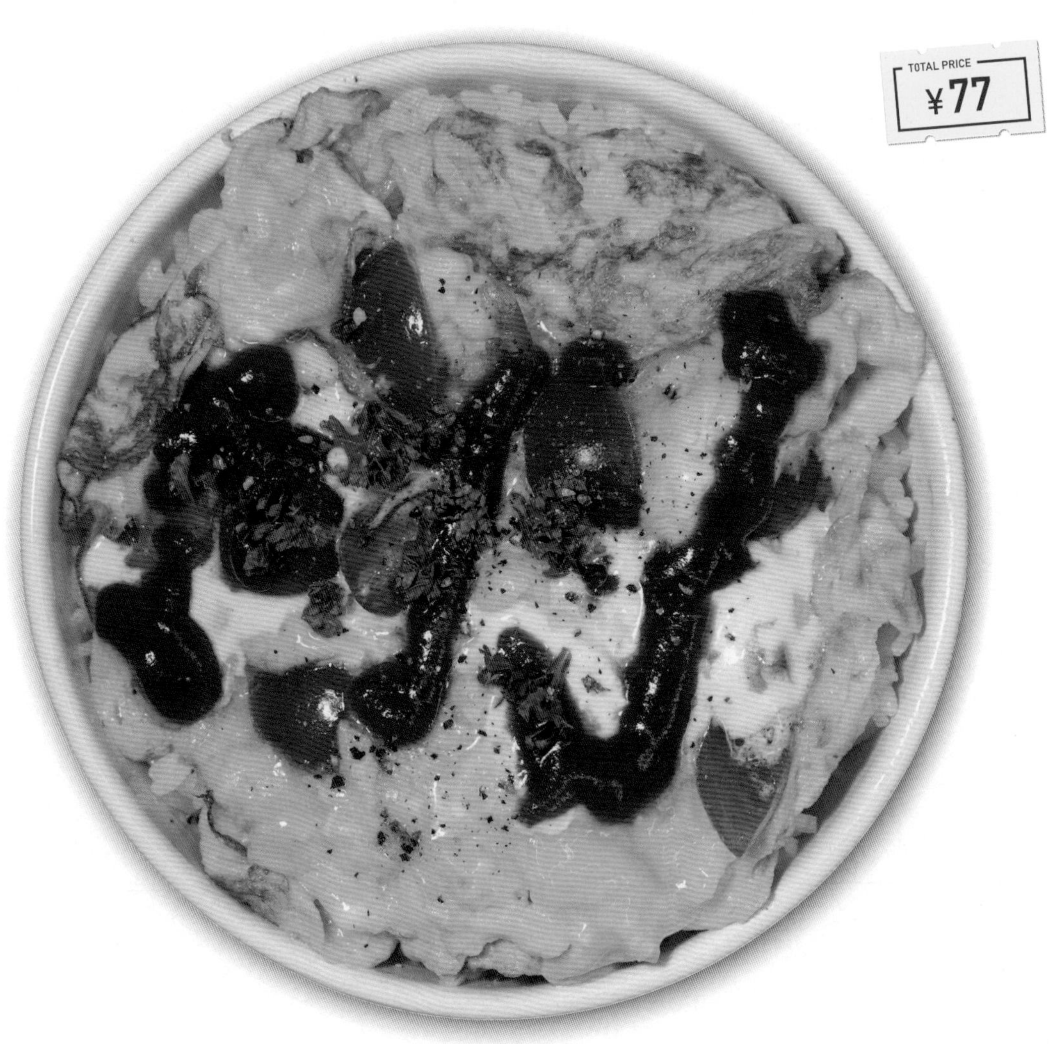

白菜もゆで卵もソースで統一感

とろとろの白菜ソースたまご丼

【材料】（１人分）

ゆで卵…1個
はくさい…２枚
ねぎ…1/2本
ソース…大さじ2
オイスターソース…小さじ1
ごま油…大さじ1
塩・コショウ…適量
白髪ねぎ…少々

【作り方】

❶ ゆで卵とソースをビニール袋に入れ30分ほどおく。

❷ フライパンにごま油を熱し、細切りのはくさいと斜め切りのねぎを炒め、塩・コショウとオイスターソースで味付けする。

❸ ご飯を器によそい、②を盛り付ける。ソース味のゆで卵を半分に切ってのせ、白髪ねぎをちらして完成。

ONE POINT ゆで卵は水気をとってソースに漬けると味がよくしみ込みます。

TOTAL PRICE ¥42

簡単親子丼！

たまごかけとり丼

【材料】（１人分）

鶏むね肉…100g
ねぎ…1/2本
卵…1個
油…小さじ1
すき焼きのたれ…50cc
水…50cc
七味とうがらし…適宜

【作り方】

❶ 鶏むね肉はそぎ切り、ねぎは斜め切りにする。

❷ フライパンに油を熱し、①を炒める。

❸ すき焼きのたれと水を加えて炒め煮する。

❹ ご飯を器によそい、③を盛り付け、真ん中に卵をおとせば完成。好みで七味とうがらしをかける。

ONE POINT 市販のすき焼きのたれを使えば簡単ですが、なければ自家製で。P79参照。

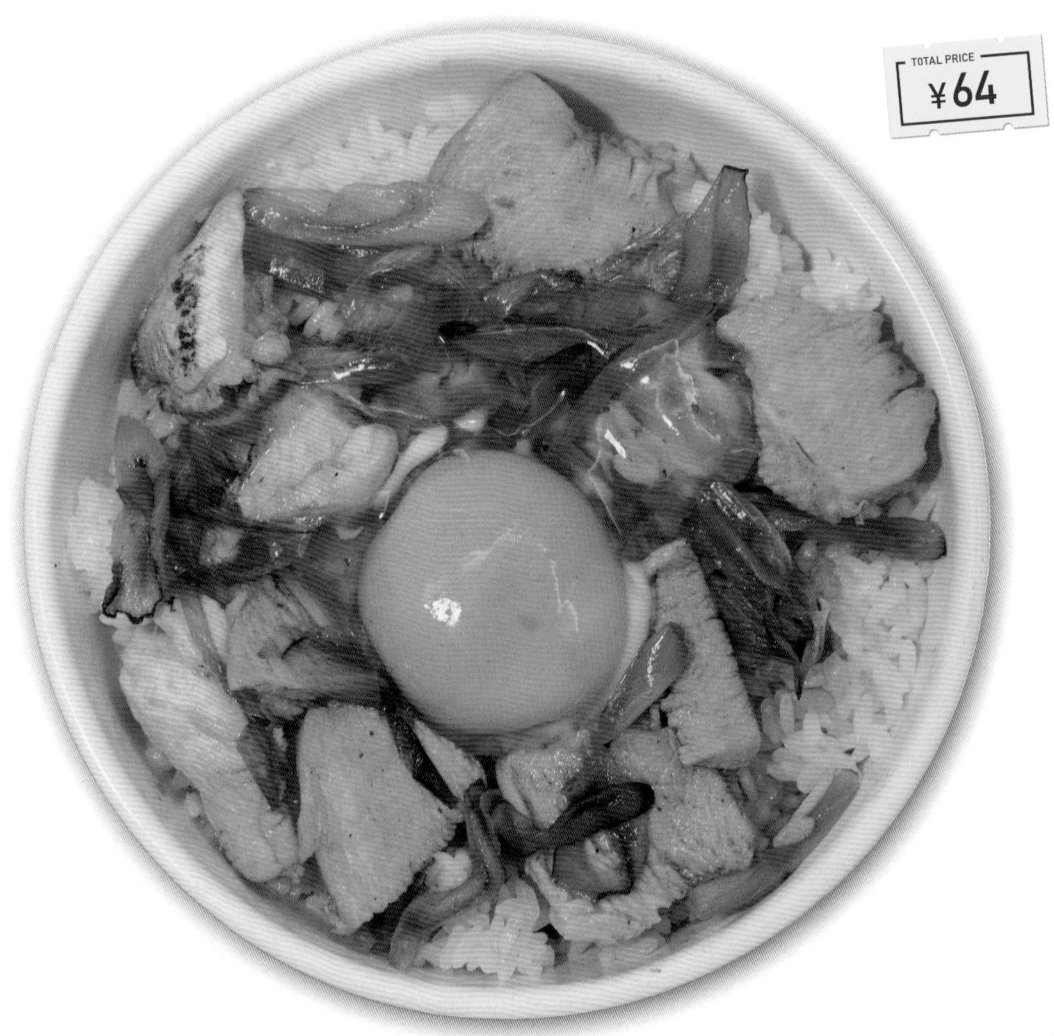

TOTAL PRICE ¥64

揚げ物にも挑戦してみよう

好きな食材で簡単にできる！

大好きかき揚げ丼

【材料】（1人分）

さつまいも…適量
たまねぎ…適量
にんじん…適量
魚肉ソーセージ…1/2本
ちくわ…1/2本
てんぷら粉…1/2カップ
冷水…少々
揚げ油…適量
しょうゆ…少々
青ねぎ…適宜

【作り方】

❶ 食材はすべて細切りにする。

❷ 食材にてんぷら粉の半量をまぶしておく。

❸ 残りのてんぷら粉に冷水を混ぜ、衣を作り、①を混ぜる。

❹ ③を4等分ずつ油で揚げる。

❺ ご飯を器によそい、④のてんぷらを盛り付け、上からしょうゆをかけたら完成。最後に好みで青ねぎを。

ONE POINT てんぷらのコツは、①衣作りは必ず冷水で、②揚げ油は高温で、③衣に小さじ1の酢を加えるとパリッとします。

TOTAL PRICE
¥98

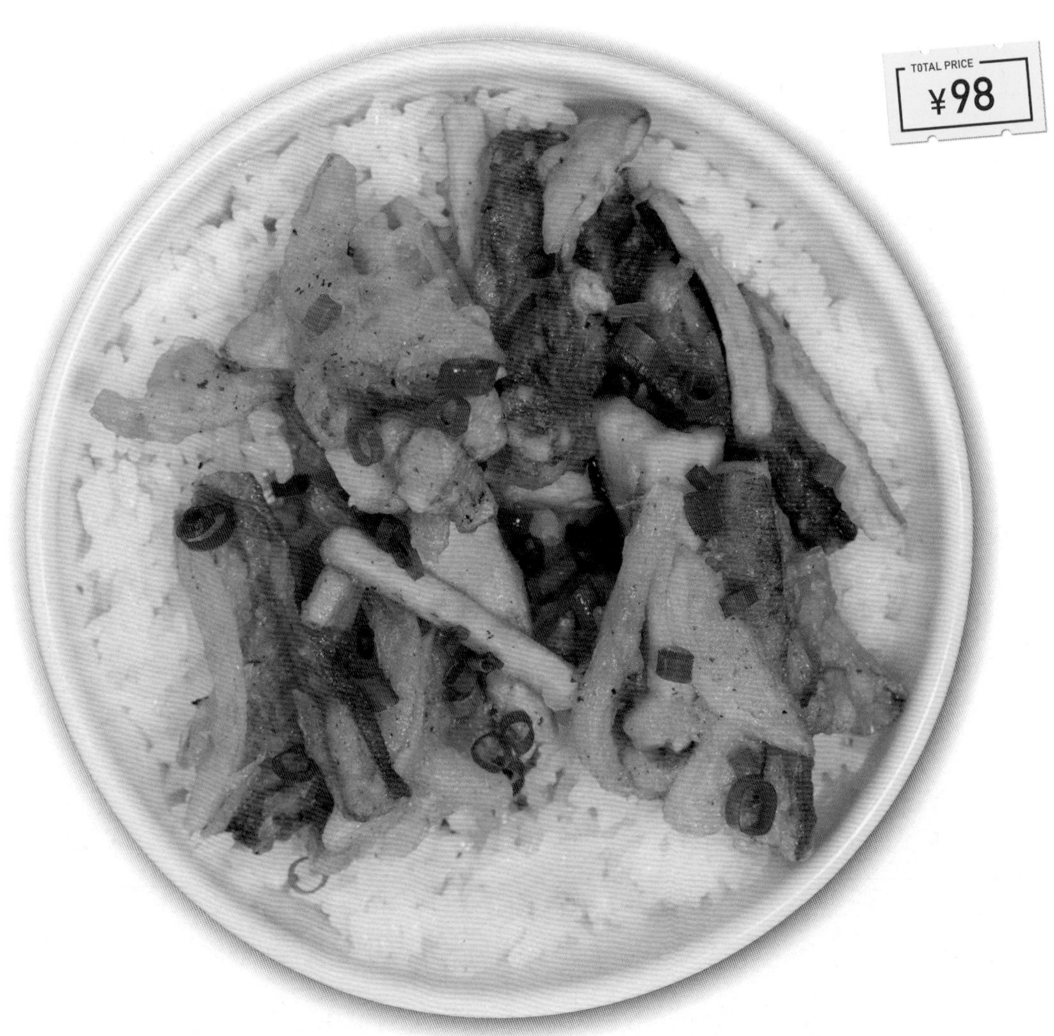

食べたことある
ちくわののり弁風丼

【材料】（1人分）

ちくわ…1本
てんぷら粉…大さじ1
青のり…適量
冷水…適量
揚げ油…適量
かつおぶし…1袋
しょうゆ…小さじ1

【作り方】

❶ てんぷら粉に青のりと冷水を加えて衣を作る。

❷ ちくわを縦半分に切って、衣をつけて揚げる。

❸ ご飯を器によそい、しょうゆで和えたかつおぶしを広げ、その上にのりを敷き、ちくわのてんぷらをのせたら完成。

ONE POINT 葉もの野菜などで、彩りと栄養素をプラスしたらもっとよし！

TOTAL PRICE ¥71

アジアの香り

スイートチリサラダ丼

【材料】（1人分）

セロリ…2〜3センチ
ピーマン1/2個
レタス…1枚
ツナ…1/2缶
コーン…大さじ1
しゅうまいの皮…3枚
スイートチリソース…大さじ2
揚げ油…適量

【作り方】

❶ セロリとピーマンを細かく刻み、ツナとコーン、スイートチリソースを加えてよく和える。

❷ しゅうまいの皮を細切りにし、油で素揚げする。

❸ ご飯を器によそい、レタスを敷き、①を盛り付け、その上に②をちらしたら完成。

ONE POINT 野菜はコーンと大きさを揃えると見た目もいいし、食べやすいですよ。

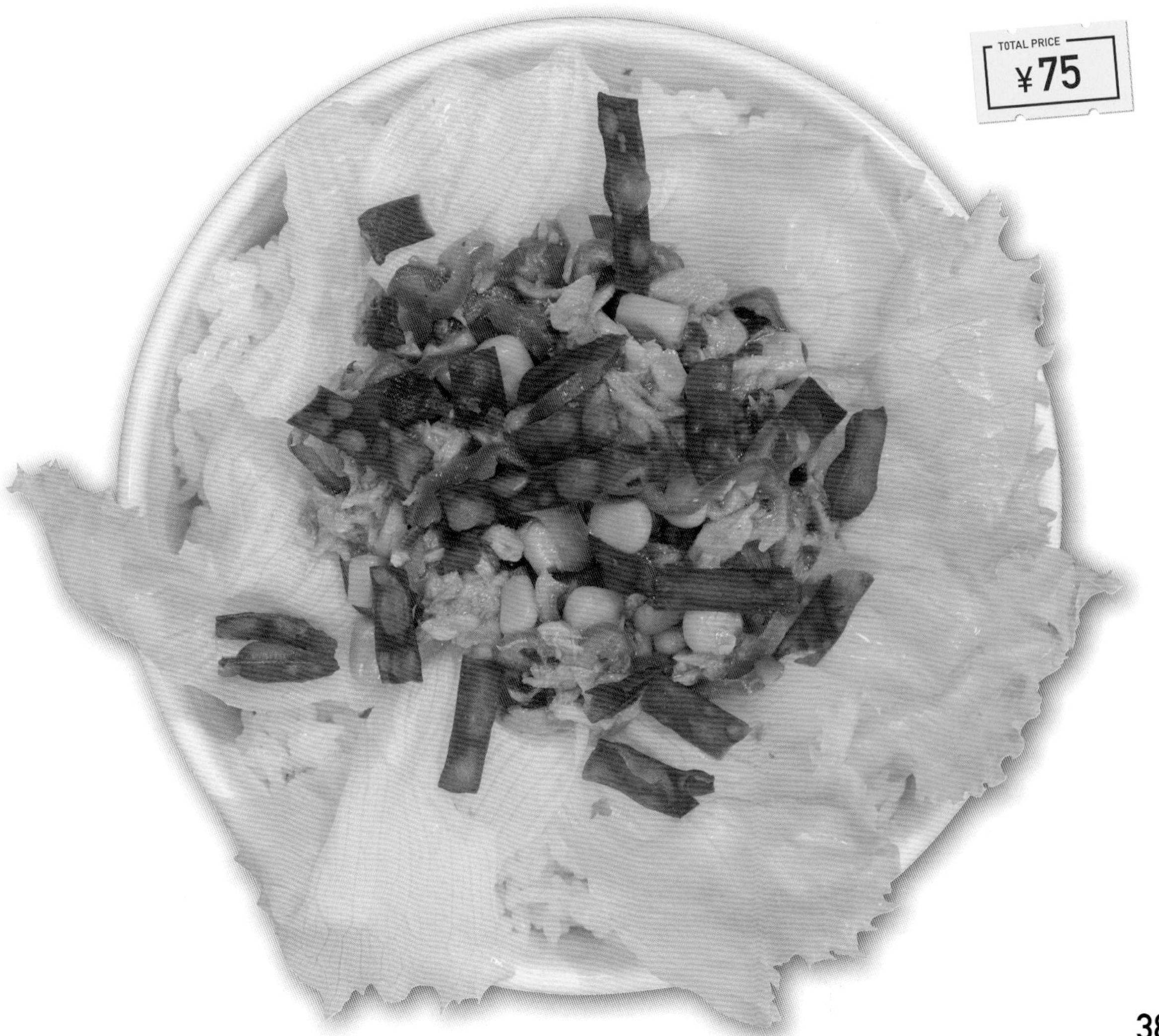

TOTAL PRICE
¥75

おそばやさんにありそうな…

まいたけの天丼

【材料】（1人分）

まいたけ…1/2パック
てんぷら粉…少々
冷水…少々
だいこん…少々
青ねぎ…少々

A
めんつゆ…大さじ1
みりん…大さじ1
水…大さじ3

【作り方】

❶ てんぷら粉を冷水で溶いて衣を作っておく。

❷ だいこんをすりおろし、水気を切る。

❸ Aを合わせて電子レンジで加熱。

❹ まいたけを小分けにし、衣をつけて高温で揚げ、③をくぐらせる。

❺ ご飯を器によそい、④のまいたけを盛り付け、だいこんおろしをのせ、青ねぎをちらしたら完成。

ONE POINT 揚げ油は新しいものを使うとよりパリッと美味しく仕上がります。

TOTAL PRICE ￥77

肉でもエビでも
揚げしゅうまいのケチャップ丼

【材料】（1人分）

しゅうまい…3個
ブロッコリー…3房
A
ケチャップ…大さじ1
砂糖…大さじ1
酢…小さじ1
中華スープの素…少々
塩・コショウ…少々
おろしにんにく…少々
水…50cc
揚げ油…適量
白髪ねぎ…適量

【作り方】

❶ ブロッコリーは塩ゆでする。
❷ しゅうまいは油で揚げて半分に切る。
❸ Aをよく混ぜて、電子レンジで加熱する。
❹ しゅうまいを③で和える。
❺ ご飯を器によそい、④とブロッコリーを盛り付け、白髪ねぎをちらして完成。

ONE POINT 白髪ねぎではなくみじん切りにするとより簡単です。

TOTAL PRICE ¥109

手順もシンプル、フライパンで簡単調理

きのこで食物繊維たっぷりとれる
きのこと厚揚げのみそ炒め丼

【材料】（1人分）

きのこ類…50g
厚揚げ…1/2枚
青ねぎ…1/3本
A　みそ…大さじ1
　　酒…大さじ1
　　みりん…大さじ1
　　砂糖…大さじ1/2
油…大さじ1

【作り方】

❶ きのこ類は石づきを取り除き、食べやすい大きさに切り分けておく。

❷ 厚揚げも一口サイズに切る。

❸ 鍋に油を入れて熱し、①と②を炒める。

❹ きのこに油がなじんだら、Aを加えて軽く炒める。

❺ ご飯を器によそって④を盛り付け、薄く斜め切りにした青ねぎをのせて完成。

ONE POINT　きのこ類は、しいたけ、しめじ、まいたけ、えのき、エリンギなどなんでもOK。

TOTAL PRICE
¥86

シンプルにまさるものなし

ベーコンキャベツ炒め丼

【材料】（1人分）

キャベツ…1/8個
ベーコン…2枚
卵…1個
油…大さじ1
ソース…少々
塩・コショウ…少々

【作り方】

❶ フライパンに油を熱し、ざく切りにしたキャベツをよく炒める。

❷ 適当に切り分けたベーコンを加えて炒め、塩・コショウで味を調える。

❸ 溶いた卵を加えてとじる。

❹ ご飯を器によそい、③を盛り付け、ソースをかけたら完成。

ONE POINT キャベツは電子レンジで加熱すると時短のうえ、カロリーも抑えられます。その際は①を省き、②に加熱したキャベツを入れてスタートします。

TOTAL PRICE
¥68

サケの季節に作ってみよう

サケのアラポン丼

【材料】（1人分）

サケのアラ…100g
小麦粉…少々
A　マヨネーズ…大さじ2
　　ポン酢…大さじ1
油…大さじ3
たまねぎ…1/6個
青ねぎ…適量

【作り方】

❶ サケのアラを一度ゆでこぼす。

❷ アラの水気をとり、食べやすい大きさにして小麦粉をふり、フライパンに油を熱し、揚げ焼きする。

❸ Aを混ぜ合わせ、②を入れて和える。

❹ ご飯を器によそい、薄切りのたまねぎを半分広げ、③を盛り付ける。刻んだ青ねぎと残ったたまねぎをちらして完成。

ONE POINT　ゆでこぼすことで、魚の臭みをとることができます。

TOTAL PRICE
¥69

ふとんのようにかけましょう

ししゃものチーズ丼

【材料】（1人分）

ししゃも…3尾
ねぎ…少々
もやし…少々
スライスチーズ…1枚
キムチ…適量
ごま油…少々
しょうゆ…少々

【作り方】

❶ フライパンでししゃもを焼き、皿にとっておく。

❷ フライパンにごま油を熱し、斜め切りにしたねぎともやしを炒める。

❸ ご飯を器によそい、②を広げししゃもをのせ、スライスチーズをかぶせて、電子レンジで20秒加熱。

❹ ③の上にキムチをのせ、しょうゆをたらし完成。

ONE POINT ししゃもはフライパンで焼くと簡単で焦げにくいです。

TOTAL PRICE ¥114

きれいに並べて

ししゃものお弁当丼

【材料】（１人分）

ししゃも…3尾
エリンギ…1/2個
かぼちゃ…2切れ
ねぎ…少々
きゅうり…3センチ
塩昆布…少々
大葉…1枚
ゆで卵…1/2個分
しょうゆ…適宜

【作り方】

❶ ししゃもと一口サイズに切ったエリンギとかぼちゃをフライパンで炒める。

❷ 薄切りにしたきゅうりと塩昆布を和える。

❸ ご飯を器によそって大葉を敷き、②をのせ、①とゆで卵をきれいに並べたら完成。最後に好みでしょうゆをたらす。

ONE POINT 【材料】にあるものだけでなく、冷蔵庫にあるお好みの野菜を焼いてのせてみましょう。

香ばしいかおりと味がたまらない
白身魚のしょうゆバター丼

【材料】（1人分）

白身魚…60g
ブロッコリー…少々
バター…小さじ1
しょうゆ…大さじ1
油…大さじ1
塩…適量

【作り方】

1. フライパンに油を熱し、塩をふった白身魚を焼く。
2. 火が通ったところで、バターとしょうゆを加え、フライパンを回して白身魚になじませ、焦げかかったところで火を止める。
3. ブロッコリーは一口サイズに切り、塩ゆでしておく。
4. ご飯を器によそって、白身魚とブロッコリーを盛り付けたら完成。

ONE POINT 皮のついた白身魚は皮から焼くのが基本。身が崩れやすいですが、崩れてもいいのが丼のいいところ。

TOTAL PRICE ¥86

甘辛さに食欲が増す！

ソーセージのケチャップ炒め丼

【材料】（1人分）

魚肉ソーセージ…1本
たまねぎ…1/4個
ピーマン…1/2個
A｜ケチャップ…大さじ1
　｜水…大さじ1
油…大さじ1
バター…小さじ
コショウ…少々

【作り方】

❶ 材料は食べやすい大きさに切る。

❷ フライパンに油を熱し、①を炒め、Aで味付けをする。

❸ ご飯を器によそい、②を盛り付け、バターをのせ、コショウをふったら完成。

ONE POINT 水の代わりにワインを使うと、コクがでます。

TOTAL PRICE ¥59

低カロリー高たんぱくのヘルシーどんぶり

しょうゆで香ばしく!

納豆えのき丼

【材料】(1人分)

えのき…1/2袋
ねぎ…少々
納豆…1パック
卵の黄身…1個分
ごま油…小さじ1
しょうゆ…小さじ2
刻みのり…少々

【作り方】

1. えのきは石づきをとり、半分に切る。
2. フライパンにごま油を熱し、えのきを炒め、しょうゆ半量を回しかける。
3. 練った納豆にねぎとしょうゆ(残り)を入れて混ぜる。
4. ご飯を器によそい、刻みのりを敷き、その上に②と③を順番に盛り付ける。
5. 真ん中に卵の黄身を落としたら完成。

ONE POINT ②でしょうゆを回しかけた後、水分を飛ばすとより香ばしくなります。

TOTAL PRICE ¥65

二大スーパーフード！

長いもと豆腐のふわふわ丼

【材料】（1人分）

豆腐…1/2丁
長いも…10センチ
A しょうゆ…小さじ1
　みりん…小さじ1
　酒…小さじ1
ごま油…少々
塩…少々
青ねぎ…少々

【作り方】

❶ 豆腐を一口サイズに切り、塩をふる。

❷ フライパンにごま油を熱し、①の豆腐に焼き色をつける。

❸ おろした長いもを加えて軽く焼き、合わせたAを上からかける。

❹ ご飯を器によそい、③を盛り付け、青ねぎをちらして完成。

ONE POINT 豆腐は絹でも木綿でも、お好きなほうで。

TOTAL PRICE ¥88

おろしも添えて、おかずとご飯の一体化

納豆たまご焼き丼

【材料】（1人分）

卵…1個
納豆…1パック
だいこん…少々
白髪ねぎ…少々
のり…少々
大葉…2枚
だし汁…小さじ1
油…大さじ1
しょうゆ…少々

【作り方】

❶ 卵を溶き、納豆、のり、だし汁を混ぜる。

❷ フライパンに油を熱して①でたまご焼きを作る。

❸ 器によそったご飯の上に大葉を敷き、その上に食べやすい大きさに切ったたまご焼きを盛り付ける。

❹ おろしただいこんと白髪ねぎを添え、しょうゆをたらしたら完成。

ONE POINT だいこんおろしは水気を切ってから使用しましょう。

TOTAL PRICE
¥60

冷蔵庫の野菜を一気に食べれる

カラフル納豆丼

【材料】（1人分）

A
- 納豆…1パック
- 卵…1個
- キムチ…少々
- 冷蔵庫にある野菜…適量
- しょうゆ・ラー油…各少々

ねぎ・もみのり…各少々

【作り方】

1. Aの材料を一気に混ぜて、器によそったご飯の上に盛り付け、みじん切りのねぎともみのりをちらしたら完成。

ONE POINT 野菜は、レタス、ピーマン、きゅうり、なす、にんじんなどなんでもOK。

バターが絶妙

くずし豆腐とめんたいのりバタ丼

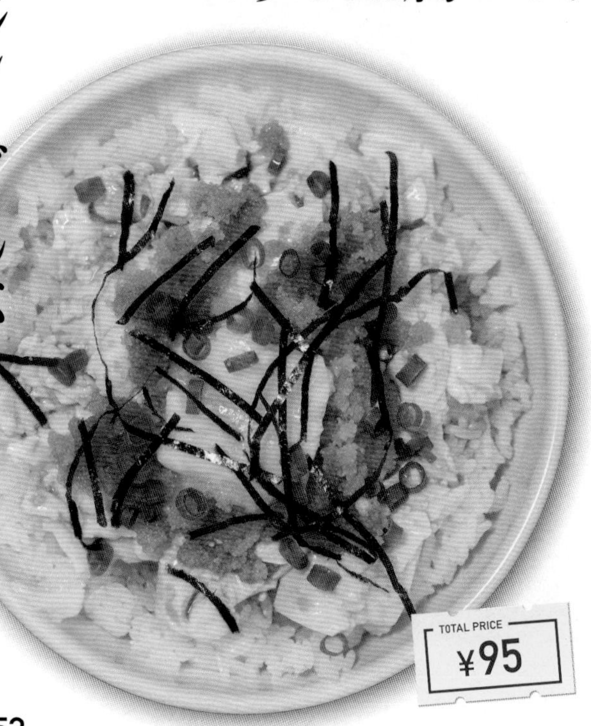

【材料】（1人分）

豆腐…1/2丁
めんたいこ…1/2腹
バター…大さじ1
刻みのり…適量
青ねぎ…適量
しょうゆ…適量

【作り方】

1. ご飯によそった器の上に、手でつぶした豆腐、ほぐしためんたいこ、バターをのせ、電子レンジで加熱する。
2. 刻みのりと青ねぎをちらし、しょうゆをまわしかければ完成。

ONE POINT あつあつご飯でより美味しく！　豆腐の下にかつおぶしを敷いてもOK。

忙しい朝のごはんに

納豆の三色丼

【材料】（1人分）

アボカド…1/2個
長いも…5センチ
納豆…1パック
卵の黄身…1個分
しょうゆ…少々
青ねぎ…少々

【作り方】

❶ アボカドと長いもは食べやすい大きさに切る。

❷ 納豆を練り、しょうゆで味付けして①を加えて軽く混ぜる。

❸ ご飯を器によそい、②を盛り付ける。

❹ 真ん中に卵の黄身をのせ、青ねぎをちらして完成。

ONE POINT アボカドの食べ頃の見分け方は難しいものです。黒すぎや緑すぎは避けましょう。

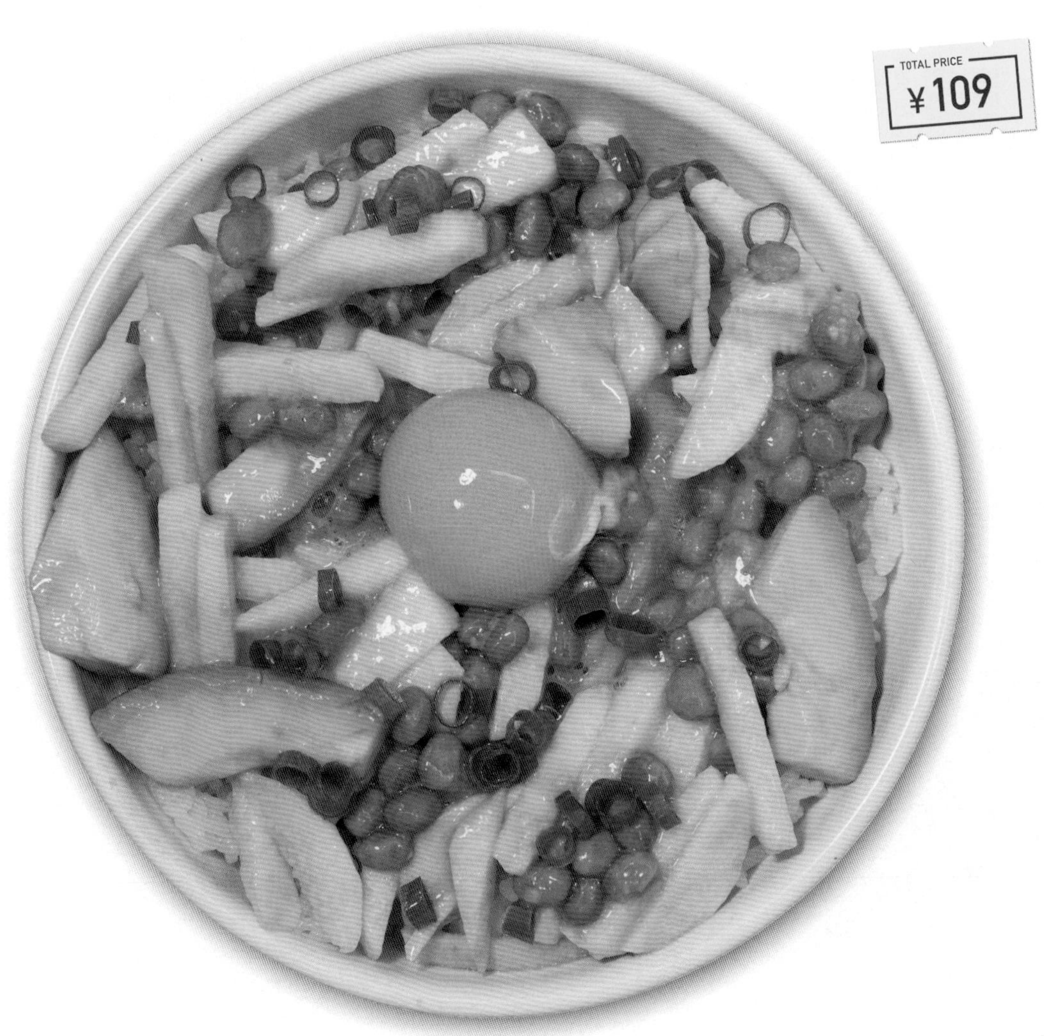

TOTAL PRICE ¥109

各国各地の料理をどんぶりにしてみよう

伊勢の名物を自宅で

かつお手ごね丼

【材料】（1人分）

かつおの刺身…60g
たまねぎ…1/4個
大葉…1枚
しょうが…少々
青ねぎ…適量
すしのこ…大さじ1

A	しょうゆ…小さじ1 酒…小さじ1 みりん…小さじ1 砂糖…小さじ1 しょうが汁…小さじ1

ごま…適量

【作り方】

❶ 温かいご飯にすしのこを入れて酢飯を作る。

❷ かつおをAに10分ほど漬けておく。

❸ 器によそった酢飯のうえに薄くスライスしたたまねぎを広げ、②のかつおを盛り付ける。

❹ 細切りの大葉としょうが、粗みじん切りにした青ねぎをちらし、ごまをふって完成。

ONE POINT 最後にかつおの漬け汁をかけると、ご飯にもしっかり味が付きます。

TOTAL PRICE ¥91

なんだか懐かしい味

南国気分でスパム丼

【材料】（1人分）

スパム…1/4缶
卵…1個
マヨネーズ…適量
A　牛乳…小さじ1
　　塩・コショウ…適量
油…小さじ1
きゅうり…1/3本
もみのり…適量

【作り方】

1. スパムときゅうりを食べやすい大きさに切る。
2. 溶き卵にAを加えてよく混ぜ、油を熱したフライパンに流し入れてスクランブルエッグにする。
3. ご飯を器によそい、①と②を盛り付け、もみのりをふりかけ、マヨネーズをまわしかけて完成。

ONE POINT　スパムは一度焼いて温めるとより一層美味しくなります。値の張るスパムの代わりにハムやソーセージでもできます。

具の大きさはお好みで

山形のだし丼

【材料】（1人分）

なす…1/2本
きゅうり…1/2本
みょうが…1個
大葉…1枚
しょうゆ…大さじ1
かつおぶし…適量

【作り方】

1. なすときゅうりは角切りに、みょうがと大葉は細切りにする。
2. ①をボウルに入れてしょうゆで味付けをする。
3. ご飯を器によそい、②を盛り付け、かつおぶしをふりかけたら完成。

ONE POINT　②で味付けしたら、しばらく置いておくと味がなじみます。

チーズの量はお好みで！

プルコギ風豚チーズ丼

【材料】（1人分）

豚小間肉…60g
スライスチーズ…1枚
焼き肉のたれ…大さじ2
油…小さじ1
紅しょうが…少々
青ねぎ…適量
ごま…少々

【作り方】

❶ フライパンに油を熱し、豚小間肉と焼き肉のたれを入れて炒める。

❷ ご飯を器によそい、①を盛り付け、スライスチーズをちぎってのせ、電子レンジで加熱する。

❸ チーズがとけたところで、紅しょうがを飾り、青ねぎとごまをふって完成。

ONE POINT 焼き肉のたれはいろいろな味付けに大活躍しますが、手作りするのも簡単。[オイスターソース、すりおろしにんにく(チューブ)、しょうゆ、砂糖、みりん、酒各大さじ1を混ぜる]

TOTAL PRICE ¥93

甘酸っぱいアジアの香り

とりチリ丼

【材料】（1人分）

鶏むね肉…80g
たまねぎ…1/4個
レタス…2枚
パクチー…1枝
A　塩…小さじ1
　　酒…大さじ1
スイートチリソース…大さじ1
油…大さじ1

【作り方】

1. 鶏むね肉は一口サイズに切り、Aとビニール袋に入れ30分漬けておく。
2. フライパンに油を熱し、くし切りのたまねぎと①を炒める。
3. 鶏肉に火が通ったら火を止め、スイートチリソースをからめる。
4. ご飯を器によそい、手でちぎったレタスを広げ、③を盛り付け、パクチーをちらしたら完成。

ONE POINT 鶏肉は、一度水で洗ってぬめりや血をとると、臭みがとれます。調理する際には水気をとってから使いましょう。

TOTAL PRICE ¥79

まぜまぜして美味しい

おうちで食べるビビンバ丼

【材料】（1人分）

ひき肉…50g　もやし…1/4袋
にんじん…1/4本　ほうれん草…1株

A
- 中華味の素・ごま油…各小さじ1
- 塩…少々

B
- ごま油…小さじ1
- おろしにんにく…少々
- おろししょうが…少々
- コチュジャン…大さじ1
- しょうゆ・酒・砂糖…小さじ1

コチュジャン…小さじ1
ごま…小さじ1
温泉卵…1個

【作り方】

❶ AとBをそれぞれ混ぜ合わせておく。

❷ もやしはそのまま、にんじんは細切り、ほうれん草はざく切りにして、それぞれを電子レンジで加熱する。

❸ ②の野菜それぞれをAの1/3量ずつで味付けする。

❹ ひき肉とBをフライパンに入れて炒める。

❺ ご飯を器によそい、③と④を盛り付けて、コチュジャンとごまをかけ、温泉卵をのせたら完成。

ONE POINT　ひき肉は汁気がなくなるまで煮詰めます。

TOTAL PRICE
¥86

ドライカレーのような
ガパオ風カレー丼

【材料】（1人分）

セロリ…5センチ
ピーマン…1/2個
ほうれん草…少々
たまねぎ…1/4個
ミニトマト…1個
ひき肉…30g
卵…1個
油…小さじ1
おろしにんにく…小さじ1
カレー粉…少々
ケチャップ…大さじ1
塩・コショウ…少々

【作り方】

❶ 野菜類は細かく刻んでおく。
❷ フライパンで油とおろしにんにくを熱し、①とひき肉を入れて炒める。
❸ 火が通ったらカレー粉とケチャップを加え、塩・コショウで味を調える。
❹ ご飯を器によそい、③のカレーをかけ、③のフライパンで焼いた目玉焼きを盛り付けて完成。

ONE POINT 野菜はなんでもOK。冷蔵庫の野菜を片付けちゃおう。

TOTAL PRICE ¥96

イカの旨みでコク倍増

イタリアンなイカ豚ケチャップ丼

【材料】（1人分）

いか…50g
豚小間肉…50g
ミニトマト…2個
パセリ…適量
油…大さじ1
おろしにんにく…小さじ1
ケチャップ…大さじ1
ワイン…大さじ1
バター…少々
塩・コショウ…少々

【作り方】

❶ フライパンで油とおろしにんにくを熱し、ぶつ切りにしたいかと小口切りした豚小間肉を入れて炒める。

❷ 火が通ったところでケチャップとワインを入れ、一度煮立たせたら火を弱め、塩・コショウで味を調える。

❸ ご飯を器によそい、②を盛り付け、小さく刻んだミニトマトとバターをのせ、刻んだパセリをちらしたら完成。

ONE POINT ワインの代わりに酒でもOK。

TOTAL PRICE ¥117

保存食品を活用していつでもどんぶり

ご飯と合うね
クリームシチュー丼

【材料】（1人分）

レトルトシチュー…1袋
バター…小さじ1
粉チーズ…少々
パセリ…少々

【作り方】

1. シチューを温める。
2. 器によそったご飯にシチューをかけ、バターをのせ、粉チーズと刻んだパセリをかけたら完成。

ONE POINT　冷やご飯利用の場合は、ご飯にレトルトシチューをかけ、ラップをして電子レンジで加熱すればもっと簡単！

パスタの代わりに
ミートソース丼

【材料】（1人分）

キャベツ…適量
ミートソース缶…1/2缶
シュレットチーズ…適量
パセリ…少々

【作り方】

1. キャベツは千切りにする。
2. 器によそったご飯に①をひろげ、ミートソースをかけ、チーズをのせる。
3. ラップをかけて電子レンジで加熱。
4. 刻んだパセリをふりかけて完成。

ONE POINT　ミートソース缶をもとに具材を増やすと、栄養価が高くなります。

コーンの缶詰を利用して

みんな大好きマヨコーンサラダ丼

【材料】（1人分）

たまねぎ…1/4個
コーン(缶)…大さじ2
カニカマ…1本
塩昆布…少々
マヨネーズ…大さじ2
砂糖…小さじ1
すしのこ…適量
もみのり…適量

【作り方】

❶ たまねぎを薄くスライスして水にさらしておく。

❷ コーン、水気を切ったたまねぎ、ほぐしたカニカマ、塩昆布、マヨネーズ、砂糖を混ぜる。

❸ ご飯にすしのこを加えて酢飯を作り、器に盛る。

❹ ②を盛り付け、もみのりとマヨネーズをかけ、好みでかいわれだいこんなどを添えたら完成。

ONE POINT すしのこを利用するとご飯がべたつきませんが、甘酢でも代用できます。

TOTAL PRICE ¥54

えのきの佃煮で簡単どんぶり

アボカドえのき丼

【材料】（1人分）

アボカド…1/2個
えのきの佃煮…大さじ2
たまねぎ…1/4個
かつおぶし…1袋
卵の黄身…1個分
しょうゆ…少々

【作り方】

❶ 角切りにしたアボカドとえのきの佃煮を混ぜ合わせる。

❷ ご飯を器によそい、かつおぶしをかけ、その上にスライスしたたまねぎを広げる。

❸ ②の上に①を盛り付け、卵の黄身をのせ、しょうゆをかけたら完成。

ONE POINT 卵は全卵でもOK。塩加減はしょうゆの量で調整を。

TOTAL PRICE ¥107

ツナめんたい入り

ヘルシーサラダ丼

【材料】（１人分）

ツナ缶…1/2缶
めんたいこ…1/2腹
ねぎ…5センチ
三つ葉…5～6本
きゅうり…1/3本
みょうが…1/２個
A　ごま油…小さじ1
　　酢…小さじ1
　　塩…少々

【作り方】

❶ ツナとめんたいこを混ぜる。
❷ 野菜をすべて千切りにしてAと和える。
❸ ご飯を器によそい、②を広げ、①を盛り付けたら完成。

ONE POINT　香味野菜が食欲をそそります。

TOTAL PRICE ¥136

なつかしい味

バターコーンのしょうゆ味丼

【材料】（1人分）

ちくわ…2本
コーン…大さじ2
油…小さじ1
バター…小さじ2
しょうゆ…大さじ1/2
マヨネーズ…大さじ1

【作り方】

1. フライパンに油を熱し、斜め切りにしたちくわとコーンを炒め、バターとしょうゆを加え、しょうゆが焦げそうなところで火を止める。
2. ご飯を器によそい、①を盛り付け、マヨネーズをかければ完成。好みで葉ものを飾る。

ONE POINT　甘め好みなら砂糖小さじ1程度を加えて味を調整してください。

TOTAL PRICE ￥70

にんにくを使ってスタミナアップ

しゅんぎくが美味しい
チョレギ&豚キムチ丼

【材料】（１人分）

しゅんぎく…1株
A
- おろしにんにく…適量
- 塩…小さじ1/2
- ごま油…小さじ1

豚バラ肉…50g
焼き肉のたれ…大さじ1
キムチ…適量
卵の黄身…1個分

【作り方】

❶ しゅんぎくはざく切りにして水につけておく。
❷ 水気をきってAで和える。
❸ 豚バラ肉を食べやすい大きさに切り、焼き肉のたれで炒める。
❹ ご飯を器によそい、②を広げ、③を盛り付ける。刻んだキムチと黄身をトッピングし、完成。

ONE POINT しゅんぎくなどの葉物野菜は水につけるとパリッとします。

TOTAL PRICE ¥98

ビタミン豊富な
豚とほうれん草のしょうが焼き丼

【材料】（1人分）

豚小間肉…60g
ほうれん草…1/4袋
油…大さじ1/2
A
しょうゆ…大さじ1
砂糖…大さじ1
酒…大さじ1
みりん…大さじ1
おろししょうが…小さじ1
おろしにんにく…小さじ1

【作り方】

1. 豚小間肉は一口サイズ、ほうれん草は固めにゆでてざく切りにする。
2. フライパンに油を熱して①を炒め、Aを加えてよく混ぜ、水気を飛ばす。
3. ご飯を器によそって②を盛り付けたら完成。

ONE POINT しょうが焼きのたれ(A) はいろいろな野菜と相性がいいので、たまねぎやキャベツ、その他たくさんの野菜で試してください。

TOTAL PRICE ¥88

元気が出る出る
皮なしギョーザ丼

【材料】（1人分）

ひき肉…50g
にら…1/5袋
はくさい…1枚

A	かたくり粉…大さじ1 中華スープの素…小さじ1 オイスターソース…小さじ1 酒…大さじ1 おろしにんにく…小さじ1 おろししょうが…小さじ1

キムチ…適量
ごま油…適量

B	酢…小さじ1 しょうゆ…小さじ1

【作り方】

❶ にらとはくさいを細かく刻み、ひき肉とAとよく混ぜる。

❷ フライパンにごま油を熱し、①を円形に広げて焼く。

❸ Bを混ぜて酢じょうゆを作る。

❹ ご飯を器によそって②をのせ、キムチを添え、Bの酢じょうゆを回しかけたら完成。

ONE POINT 好みでラー油やからしをトッピング。

TOTAL PRICE ¥63

ガーリックの香りが食欲をそそる

レタスとしらすのペペロンチーノ丼

【材料】（1人分）

レタス…1/4個
しらす…大さじ1
油…大さじ1
おろしにんにく…小さじ1
しょうゆ…少々
かつおぶし…小1袋

【作り方】

1. フライパンで油とおろしにんにくを熱して香りを出し、手でちぎったレタスとしらすを軽く炒め、しょうゆをたらして火を止める。
2. ご飯を器によそい、①を盛り付け、かつおぶしをふりかけたら完成。

ONE POINT しらすの代わりにちりめんじゃこでもOK！

TOTAL PRICE ¥70

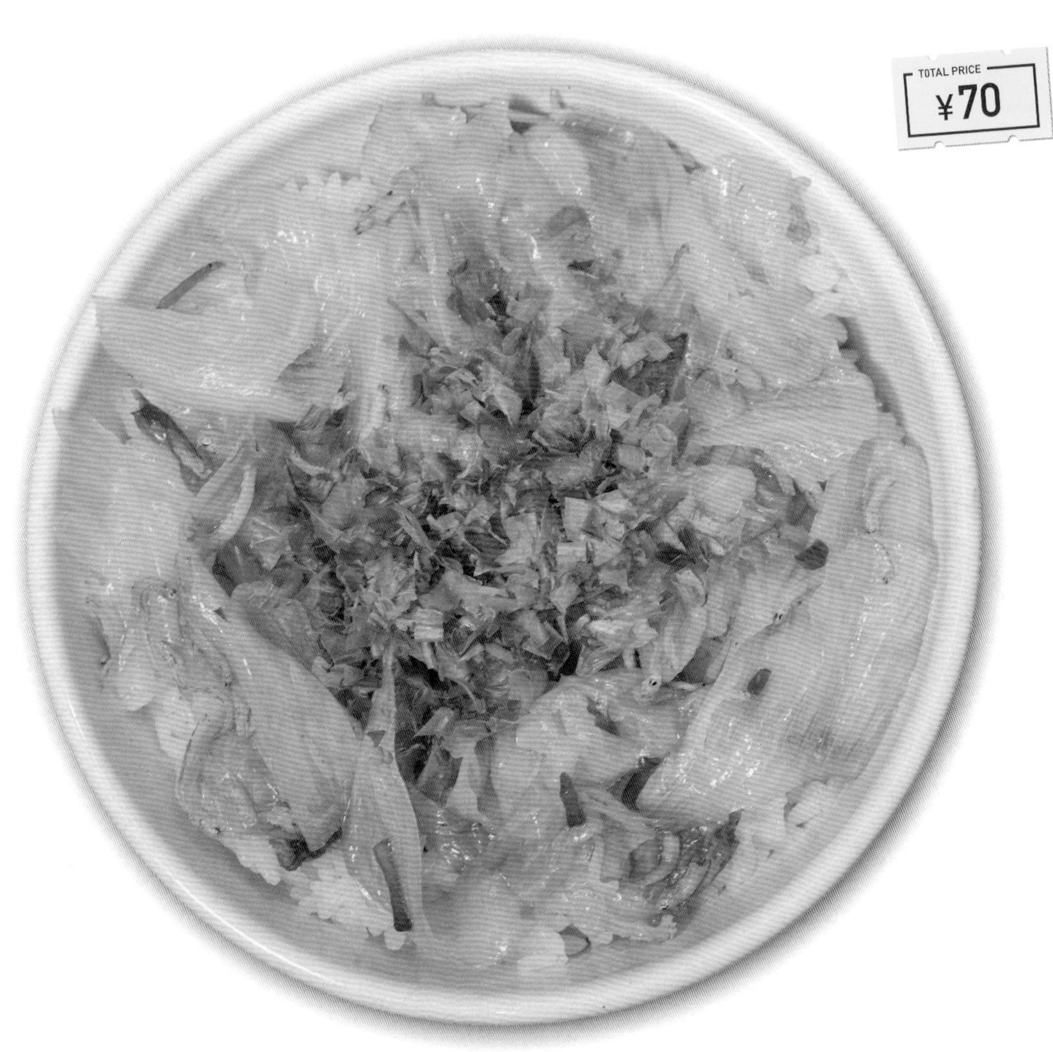

大好き白ねぎのみじん切り

ねぎねぎかまぼこ

【材料】(1人分)

かまぼこ…1/3　ねぎ…適量
A[ごま油…大さじ1　塩…ひとつまみ]

【作り方】

❶ かまぼこは薄切りにする。ねぎはみじん切りにしてAで和えておく。

❷ かまぼこを皿に並べ、その上にねぎをのせて完成。好みでしょうゆやワサビ(分量外)を添えてもいい。

ONE POINT　ねぎは、芯の部分を除くと臭みが弱まります。

市販のサラダチキンでOK!

アボカドわかめ、チキンの酢みそ和え

【材料】(1人分)

アボカド…1/2個　サラダチキン…1/4パック　わかめ…適量
A[甘酢…大さじ1　みそ…小さじ11]　ごま…少々

【作り方】

❶ 材料は食べやすい大きさに切る。

❷ ①とAを和え、器に盛り付け、ごまをふったら完成。

ONE POINT　Aは市販の甘酢とみそを合わせるだけの簡単調味料。

意外なおいしさ！ 秋に食べたいサラダ

しゅんぎくと柿のサラダ

【材料】(1人分)

しゅんぎく…1株　柿…1/2個　甘酢…大さじ1
A[黒コショウ…適量　オリーブオイル…適量　塩…少々]

【作り方】

❶ しゅんぎくは4～5センチに、柿は一口サイズに切る。

しゅんぎくと柿を甘酢を和える。

❷

②を器に盛り付け、Aをそれぞれふりかけて完成。

❸

ONE POINT　しゅんぎくなどの葉もの野菜は、切った後に水につけておくとパリッ、シャキッとした食感に。水気をしっかり切ってから調理しましょう。

超低カロリーが嬉しい

しらたきの焼きたらこ和え

【材料】(1人分)

しらたき…1/2袋　大葉…1枚　たらこ1/2腹

【作り方】

❶ しらたきはゆで、鍋から出して手で押し、水気を切っておく。

❷ 大葉は細切りにする。

❸ たらこはアルミホイルで包み、オーブントースターで加熱。薄皮をとってほぐしておく。

❹ ①～③を和え、器に盛り付けたら完成。

ONE POINT　たらこの量は好みで、もしくは塩少々で塩気を調整してください。

簡単おいしい

れんこんチーズ焼き

【材料】（１人分）

れんこん…３センチ
スライスチーズ…１枚
ベーコン…１枚
塩…少々

【作り方】

1. れんこんは皮をむかずに5ミリの薄切り、ベーコンは食べやすい大きさに切る。
2. れんこんに塩をふって電子レンジまたは塩ゆでで加熱する。
3. フライパンにスライスチーズを敷き、その上にれんこんとベーコンを広げ、下のチーズが焦げる程度に焼く。
4. 器に盛り付けて完成。

焦げたチーズがカリカリして美味しい。好みで黒コショウをかけましょう。

野菜をおしゃれに切って、食べやすく

コブサラダ

【材料】（１人分）

じゃがいも…1個　ゆで卵…1/2個
ミニトマト…1個　えだまめパック…大さじ1
サラダチキン…1/4パック　きゅうり…1/3本
A　ヨーグルト…大さじ１
　　マヨネーズ…大さじ１
　　塩・コショウ…少々

【作り方】

1. じゃがいもはゆでておく。
2. すべての材料を1センチ弱の角切りにする。
3. Aでドレッシングを作る。
4. ②と③を和えて盛り付けたら完成。

コブサラダとは、コブさんが考案した角切りサラダのことです。

塩昆布が味の決め手

ブロッコリーのオリーブオイル漬け

【材料】（１人分）

ブロッコリー…1/4個
にんにく…１片
オリーブオイル…大さじ４
塩昆布…大さじ１

【作り方】

1. ブロッコリーは食べやすい大きさに切り分け、塩ゆでにし、水気を切っておく。
2. にんにくは薄切りにする。
3. フライパンにオリーブオイルとにんにくを入れ、焦げないように弱火で加熱。香りがたったところで火を止める。
4. ブロッコリーと塩昆布を③に入れてよく和え、器に盛り付けたら完成。

ONE POINT ブロッコリーはあっという間に火が通るので、湯が沸いたら火を止めて、お湯に入れておけばOK。その間にほかの手順をすると時短できます。

作りおきできる簡単常備菜！

ししゃもと揚げなすの南蛮漬け

【材料】（１人分）

ししゃも…２尾　なす（小）…１本
たまねぎ…1/4個　油…適量
A　甘酢…大さじ１
　　しょうゆ…小さじ１

【作り方】

1. ししゃもは焼いて、一口サイズに切る。
2. なすは一口サイズに切り、たっぷりの油で揚げ焼きにする。
3. たまねぎは薄切りにする。
4. Aを混ぜ、その中に①～③を漬け、冷蔵庫で保存。
5. 器に盛り、好みで青ねぎや大葉の細切りをかけて完成。

ONE POINT 作りたてでも食べられますが、冷蔵庫で４～５日は保存できます。市販の甘酢でも代用できます。

美味！ 夏には生の素材でトライ！

コーン枝豆てんぷら

【材料】（1人分）

コーン…大さじ3
えだまめ…大さじ3
てんぷら粉…大さじ3
冷水…大さじ6
揚げ油…適量
塩…少々

【作り方】

❶ てんぷら粉を冷水で溶き、コーンとえだまめを加えてよく混ぜる。

❷ 全量の1/3ずつをスプーンですくって油で揚げる。

❸ 器に盛り付け、塩をふりかけたら完成。

ONE POINT てんぷら粉の衣がすくないと油が跳ねやすいので要注意。揚げ物が面倒なら、フライパンに油を多めに入れて揚げ焼きでもOK。

歯ごたえバツグン！

パリパリ野菜サラダ

【材料】（1人分）

水菜…1/3把
三つ葉…5～6本
みょうが…1/2個
きゅうり…1/3本
豆苗…5～6本
とびっこ…小さじ1
ポン酢…大さじ2

【作り方】

❶ すべての野菜を細切りで切りそろえる。

❷ ①をポン酢で和える。

❸ 器に盛り付け、とびっこをふりかけたら完成。

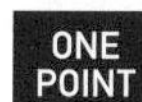

ポン酢のほか、しそドレッシングなどいろいろなドレッシングでアレンジしてください。

あると便利な調味料

基本調味料のさしすせそ

さ：砂糖
し：塩
す：酢
せ：しょうゆ
そ：みそ

甘みやコクをプラスして、臭みを消す調味料

酒
みりん
おろしニンニク（チューブ）
おろししょうが（チューブ）

揚げ物やとろみに必須の粉系調味料

かたくり粉
小麦粉

味のアクセントになる調味料

コショウ
七味とうがらし
わさび（チューブ）
からし（チューブ）
ポン酢
たかのつめ

味付けのもとになる調味料

だしの素❽

魚や昆布を原料にした粉末や液体。味付けのベースを作る。和風の料理向き。

酢飯の素❹

酢飯を作るための素で、粉末や液体がある。粉末を利用するとべたべたしない酢飯ができる。

中華だし❼

中華風のだしの素。粉末が多く、炒め物やチャーハン、スープなど、中華風の味付けに欠かせない。あっさり仕上げたい場合は鶏がらスープの素がオススメ。

すき焼きのたれ

焼き肉のたれ

だしつゆ❶

液体のものが多く、そば、うどん、鍋料理、煮物、おでん、茶碗蒸しなどの和食に。

甘酢❷

酢、砂糖、塩で作った合わせ調味料。和食や中華料理の味付けに。

風味を豊かにする調味料

ごま油

オイスターソース❻

牡蠣を主原料にしたコクを出す調味料。炒め物や煮込みに。

コチュジャン❺

韓国の発酵食品。甘辛みそとして炒め物や煮物、ディップや薬味と幅広く利用できる。

かつおぶし

ゴマ

すりごま

ねりごま❾

ゴマをすってペースト状にしたもので、コクと風味が得られる万能調味料。和え物やたれ、つゆ、ドレッシング、お菓子にも利用できる。

そのままでも調理にも使えるお馴染みの調味料

ソース
マヨネーズ
ケチャップ
ラー油

スイートチリソース❸

タイやベトナムで使用される、甘酸っぱくてピリ辛なソース。揚げ物と相性がよく、ソースとしても調味料としても利用できる。

いつでも作れる混ぜるだけのたれ

うま塩だれ

ねぎ(みじん切り)…1本分
鶏がらスープの素…小さじ1
塩…少々
ごま油…大さじ2
水…大さじ2

ねぎだれ①

長ねぎ(白い部分のみじん切り)
…100g
しょうゆ…大さじ3
酢…大さじ3
ごま油…大さじ1
砂糖…大さじ2

ねぎだれ②

ねぎ(みじん切り)…2センチ分
すりごま…大さじ2
しょうゆ…大さじ2
みりん…大さじ2
ごま油…大さじ2

しょうゆだれ①

(親子丼や煮物など濃いめの味付け)
しょうゆ…大さじ1
みりん…大さじ1
酒…大さじ1/2
砂糖…大さじ1/2
水…80cc
だしの素…小さじ1/2

しょうゆだれ②

(天つゆや天丼などやや薄めの味付け)
みりん…大さじ6
しょうゆ…大さじ2
だしの素…小さじ1
砂糖…大さじ2

すき焼きのたれ

しょうゆ…50cc
みりん…50cc
酒…50cc
砂糖…大さじ2
水…60 cc

みそだれ

みそ…大さじ2
酒…大さじ1
みりん…大さじ1
砂糖…大さじ1
おろしにんにく(チューブ)
…少々
おろししょうが(チューブ)
…少々
水…150cc

中華風たれ①

ポン酢…大さじ1
オイスターソース…大さじ1
砂糖…大さじ1
中華だしの素…小さじ1
かたくり粉…大さじ1
水…150cc
(加熱してとろみをつける)

中華風たれ②

酒…大さじ1
しょうゆ…大さじ1
砂糖…小さじ1
オイスターソース…小さじ1
鶏がらスープの素…小さじ1
かたくり粉…小さじ2
水…100cc
ごま油…小さじ1
塩・コショウ…適量

韓国風のたれ

砂糖…大さじ1
酒…大さじ1
コチュジャン…大さじ1/2
みりん…大さじ1/2
しょうゆ…大さじ1/2
おろしにんにく(チューブ)
…少々
おろししょうが(チューブ)
…少々

ロコモコたれ

ケチャップ…大さじ2
とんかつソース…大さじ4
砂糖…大さじ1
マヨネーズ…大さじ1

オムレツのたれ(卵1個分)

マヨネーズ…小さじ1
牛乳…大さじ1
サラダ油…小さじ1
塩・コショウ…適量

Staff

デザイン　大森由美
編集協力　杉本多恵
撮影　RAIRA (TRANSWORLD JAPAN)
料理制作　EMI

満足！ 簡単！ 100円丼

2020年3月4日　初版第1刷発行

発行者　佐野 裕
発行所　トランスワールドジャパン株式会社
〒150-0001
東京都渋谷区神宮前6-34-15 モンターナビル
Tel.03-5778-8599／Fax.03-5778-8743
印刷・製本　グラフィック
Printed in Japan
ISBN 978-4-86256-283-8
©Transworld Japan Inc.2020

○定価はカバーに表示されています。
○本書の全部または一部を、著作権法で認められた範囲を超えて無断で複写、複製、転載、あるいはデジタル化を禁じます。
○乱丁・落下本は小社送料負担にてお取り替えいたします。